LE SERPENT MAJUSCULE

PIERRE LEMAITRE

LE SERPENT MAJUSCULE

roman

ALBIN MICHEL

Pour mes nièces Lara, Katia,
Vanessa et Violette
avec mon affection

À Pascaline

Avant-propos

Il n'est pas rare que des lecteurs me demandent si je vais un jour « revenir au polar, au roman noir ». Je réponds généralement que c'est peu probable, manière de dire que j'en suis tout à fait certain. Ce qui me laisse une impression pénible, c'est d'être parti sans prévenir. De n'avoir, en quelque sorte, dit au revoir à personne, ce qui n'est pas mon genre.

Cela tient au fait que je suis sorti du roman noir sans l'avoir voulu. *Au revoir là-haut* n'est rien d'autre qu'un polar historique qui a mal tourné mais qui m'a ouvert à un projet littéraire sur le XXᵉ siècle qui continue de m'enthousiasmer et m'a mis à distance du roman noir.

Cette question (qui est d'avoir quitté le genre sans lui avoir fait mes adieux) a continué de me chagriner, d'autant plus qu'à la fin de la trilogie *Les Enfants du désastre*, j'ai bouclé un *Dictionnaire amoureux du polar* (éditions Plon) qui a, en quelque sorte, ravivé ce regret.

J'ai alors pensé à un roman, écrit en 1985, qui n'avait jamais été adressé à un éditeur. Peu après l'avoir terminé, avait commencé une période difficile de ma vie. Quand elle s'était achevée, rien n'était plus tout à fait comme avant. Ce roman était très loin de moi. Il est entré dans un tiroir pour n'en plus jamais sortir.

La rédaction du *Dictionnaire amoureux* m'a semblé une bonne occasion pour le relire.

J'ai eu quelques bonnes surprises. Ce roman est assez crépusculaire et j'ai été étonné de voir que nombre de thèmes, de lieux, de types de personnages que je développerais plus tard y sont déjà présents.

L'action du livre se déroule en 1985, heureux temps des cabines téléphoniques et des cartes routières, où l'auteur n'avait pas à craindre que son histoire soit rendue impossible par le téléphone portable, le GPS, les réseaux sociaux, les caméras de surveillance, la reconnaissance vocale, l'ADN, les fichiers numériques centralisés, etc.

J'ai la réputation d'être assez méchant avec mes personnages et dès ce premier roman le reproche est, à mon avis, justifié. Le lecteur ne supporte pas toujours aisément la mise à mal d'un personnage auquel il s'est attaché. C'est pourtant ce qui arrive dans la vie, non ? L'ami emporté par un infarctus en quelques minutes, le camarade terrassé par un AVC, le proche, victime d'un accident de la route, ça n'a rien de juste. Pourquoi le romancier devrait-il mettre plus de gants que la vie elle-même ? Mais ce qu'on accepte de la vie, on n'est pas toujours prêt à le pardonner à un romancier. Parce que lui avait le choix de faire autrement… et qu'il ne l'a pas fait.

À mon avis, cette critique est moins fondée dans le registre du polar que partout ailleurs. Car enfin, c'est un genre dans lequel il est assez prévisible de rencontrer du crime et du sang et ceux qui ont le cœur sensible peuvent préférer d'autres lectures. Mais voilà, pour certains lecteurs, la cruauté de l'histoire devrait se tenir « dans certaines limites ». Ma conviction est que le lecteur attend du sang, de la mort, c'est-à-dire de l'injustice, et qu'il ne fait, par ses réactions, que mesurer ses propres réticences à s'y confronter.

Voici donc mon premier roman.

Comme toujours en pareil cas, il sera jugé avec sévérité par le lecteur intransigeant et avec bienveillance par le lecteur amical. À le relire, je lui ai trouvé quantité de défauts et, au moment d'en envisager la publication, la question s'est posée de savoir jusqu'où le corriger.

En 1946, dans la préface à la réédition du *Meilleur des mondes*, Aldous Huxley écrivait : « Méditer longuement sur les faiblesses littéraires d'il y a vingt ans, tenter de rapetasser une œuvre défectueuse pour lui donner une perfection qu'elle a manquée lors de son exécution primitive, passer son âge mûr à essayer de réparer les péchés artistiques commis et légués par cette personne différente qui était soi-même dans sa jeunesse – tout cela, assurément, est vain et futile. » Pour redresser ses défauts, précise-t-il, il lui aurait fallu réécrire le livre.

Je pourrais dire la même chose.

Il m'a semblé plus loyal de le livrer aux lecteurs à peu près tel qu'il a été écrit. J'ai corrigé quelques passages qui rendaient la compréhension difficile. Pour le reste, les modifications que j'y ai apportées sont le plus souvent cosmétiques et jamais structurelles.

Le roman noir est fréquemment circulaire : une boucle narrative se referme sur elle-même.

Aussi m'a-t-il semblé assez logique que mon dernier roman noir publié soit précisément... le premier que j'ai écrit.

P. L.

LE SERPENT MAJUSCULE

La voisine
Je crois qu'elle est alcoolique.
Tu as vu comme sa lèvre tressaille ?

Le voisin
Elle tressaute. Elle doit être sous l'emprise du Mal.
Elle doit avoir des serpents dans la tête.

Gérald Aubert,
Le Différend

1985

5 mai

Mathilde tape de l'index sur le volant.

Sur l'autoroute les voitures dansent la valse-hésitation depuis plus d'une demi-heure et elle est encore à dix kilomètres du tunnel de Saint-Cloud. La circulation s'immobilise des minutes entières et d'un coup, mystérieusement, l'horizon se dégage et la Renault 25, calée contre la glissière de sécurité, file de gauche, recommence à rouler, 60, 70, 80, puis de nouveau s'arrête brutalement. L'effet accordéon. Elle se battrait. Elle a pourtant pris toutes les précautions : partie très en avance, elle a emprunté la nationale le plus longtemps possible et s'est résolue à aborder l'autoroute lorsque le radioguidage a assuré qu'il n'y avait pas d'encombrements.

– Tout ça pour se foutre dans un merdier pareil…

Mathilde, ordinairement, parle plutôt bien, pas le genre à se montrer vulgaire. Ce n'est qu'avec elle-même qu'elle se fait grossière, ça la soulage.

– Il aurait fallu y aller à un autre moment…

Elle est même surprise de sa légèreté. Jamais elle n'a

été aussi imprévoyante. Un jour pareil, risquer d'être en retard, elle tape du poing, elle s'en veut terriblement.

Mathilde conduit très près du volant parce qu'elle a les bras courts. Elle a soixante-trois ans, elle est petite, large et lourde. En regardant son visage, on devine qu'elle a été belle. Très belle même. Sur quelques photos remontant à la guerre, c'est une jeune fille d'une grâce étonnante, silhouette souple, cheveux blonds encadrant un visage rieur et d'une grande sensualité. Aujourd'hui, bien sûr, tout a doublé, le menton, la poitrine, le derrière, mais elle conserve ces yeux bleus, ces lèvres minces et ce quelque chose d'harmonieux dans le visage qui demeure la trace de son ancienne beauté. Si, avec le temps, tout le corps s'est peu à peu relâché, Mathilde est très attentive au reste, c'est-à-dire au détail : vêtements chics et chers (elle a les moyens), coiffeur chaque semaine, maquillage professionnel et surtout, surtout, des mains parfaitement manucurées. Elle peut supporter de voir les rides se multiplier, les kilos s'entêter, elle ne supporterait pas des mains mal entretenues.

À cause de son poids (78 kg ce matin sur la balance), elle souffre de la chaleur. L'encombrement sur l'autoroute est un calvaire, elle sent des rigoles de sueur couler entre ses seins, elle doit avoir les fesses mouillées, elle guette avec impatience les moments où la circulation reprend afin de profiter des légers courants d'air qu'en roulant, la vitre baissée lui apporte au visage. Ce retour vers Paris est pénible comme l'a été le week-end chez sa fille, en Normandie, c'était à peine supportable. On a fait des parties de rami interminables. Son gendre, cet imbécile, a voulu regarder le Grand Prix de Formule 1 à la télévision et, pour couronner le tout, samedi, il y avait des poireaux vinaigrette au menu, Mathilde a mis la nuit à les digérer.

– J'aurais dû partir hier soir.

Elle regarde la montre de bord, pousse un nouveau juron.

Sur la banquette arrière, Ludo lève la tête.

C'est un grand dalmatien d'un an au regard bête, mais à l'esprit tendre. De temps en temps, il ouvre un œil, regarde la lourde nuque de sa maîtresse, pousse un soupir. Il n'est jamais totalement en confiance avec elle, elle a des sautes d'humeur, surtout ces derniers temps. Au début, tout allait bien, mais maintenant... Il n'est pas rare qu'il prenne un coup de pied dans les côtes, il ne sait pas toujours pourquoi. Mais c'est un chien sociable, du genre qui s'attache à sa maîtresse et ne change pas d'avis même dans les mauvais jours. Simplement, il se méfie un peu, surtout quand il la sent sur les nerfs. C'est le cas. La voyant trépigner au volant, il se recouche prudemment, il fait le mort.

Pour la vingtième fois depuis qu'elle est arrivée sur l'autoroute, Mathilde parcourt mentalement le trajet jusqu'à l'avenue Foch. En ligne droite, elle serait à moins de quinze minutes, mais il reste le tunnel de Saint-Cloud, cette plaie... Du coup, elle en veut à la terre entière et surtout à sa fille qui n'y est pour rien, mais Mathilde ne s'arrête pas à ce genre de considération. Chaque fois qu'elle arrive chez elle, elle est anéantie par le spectacle de cette maison de campagne qui empeste la bourgeoisie étriquée et se caricature elle-même. Son gendre revient du tennis en souriant large, une serviette négligemment jetée autour du cou, comme dans une publicité télévisée. Quand sa fille s'occupe du jardin, on dirait Marie-Antoinette au Petit Trianon. C'est une permanente confirmation pour elle, sa fille n'est vraiment pas une lumière, sinon, pourquoi aurait-elle épousé un con pareil... Et américain de surcroît. Mais surtout très con. Bref, américain. Heureusement qu'ils n'ont pas d'enfants, elle espère vraiment que sa fille est stérile. Ou lui. N'importe lequel des deux, parce qu'elle n'ose pas imaginer les mômes qu'ils auraient... Des têtes à claques, à tous les coups. Mathilde aime les chiens, mais elle déteste les mômes. Surtout les filles.

– Je suis injuste, se dit-elle, mais elle ne le pense pas.

C'est à cause des encombrements. Les jours où elle travaille, c'est toujours un peu la même chose, nervosité, impatience et compagnie, alors ajoutez la circulation de fin de week-end... S'il fallait décaler à dimanche prochain ? Elle a beau y réfléchir, pour ce travail, elle ne voit pas d'autre possibilité que le dimanche. Une semaine de retard, ça ne lui est jamais arrivé...

Et puis d'un coup, personne ne comprendrait pourquoi, la file de voitures se dégage brusquement.

Inexplicablement, la Renault 25 avale le tunnel de Saint-Cloud et en quelques secondes aborde le boulevard périphérique. Mathilde sent ses membres se détendre en constatant que la circulation reste dense, mais que tout continue d'avancer. Derrière elle, Ludo pousse un long soupir de soulagement. Mathilde accélère et déboîte pour dépasser un traînard, mais se reprend aussitôt en se souvenant qu'à cet endroit les radars de police sont fréquents. Ne pas faire de bêtise. Elle se range prudemment sur la file du milieu, derrière une Peugeot qui fume blanc, et sourit, porte Dauphine, en découvrant le mufle embusqué du radar qui jette soudain un éclair sur la file de gauche qu'elle vient de quitter.

Porte Maillot, la Grande-Armée.

Mathilde évite le rond-point de l'Étoile, prend à droite et descend l'avenue Foch. Elle est redevenue calme. Il est vingt et une heures trente. Elle est très légèrement en avance. Juste ce qu'il faut. Elle a eu chaud, elle n'en revient pas elle-même. Peut-être que la chance fait partie du talent, allez savoir. Elle emprunte la contre-allée, s'arrête sur un passage piéton, éteint le moteur, mais laisse ses veilleuses allumées.

S'imaginant déjà à la maison, Ludo se dresse sur la banquette arrière et commence à couiner. Mathilde, les yeux dans le rétroviseur :

– Non !

C'est prononcé d'un ton sec et sans appel, sans élever la voix. Le chien se recouche aussitôt, lui adresse un regard contrit et ferme les yeux, même son soupir est retenu.

Mathilde chausse alors les lunettes qui pendent à son cou par une fine chaînette et fouille dans la boîte à gants. Elle en sort un papier qu'elle s'apprête à consulter une nouvelle fois lorsqu'une voiture démarre quelques dizaines de mètres plus loin. Mathilde vient tranquillement occuper la place, éteint le moteur de nouveau, repose ses lunettes, met la nuque sur l'appuie-tête et ferme les yeux à son tour. C'est un vrai miracle d'être enfin là, à l'heure. Elle se promet d'être dorénavant plus attentive.

L'avenue Foch est d'un calme absolu, ce doit être agréable d'habiter ici.

Mathilde baisse la vitre. Maintenant que la voiture est immobilisée, une atmosphère un peu lourde commence à planer, odeur du dalmatien et de transpiration. Envie d'une douche. Plus tard. Dans le rétroviseur de côté elle voit, loin derrière, un homme qui promène son chien dans la contre-allée. Mathilde pousse un énorme soupir. Là-bas, sur l'avenue, les voitures glissent rapidement. Pas nombreuses, à cette heure-ci. Un dimanche. Les grands platanes frémissent à peine. La nuit sera lourde.

Bien que Ludo soit tranquillement à sa place, Mathilde se retourne et dit en pointant l'index sur lui : « Couché, pas bouger, d'accord ? » Il courbe l'échine.

Elle ouvre la portière, s'agrippe à deux mains à la carrosserie et s'extirpe en force de la voiture. Il faudrait perdre du poids. Sa jupe est remontée, plissée sur son énorme derrière. Elle tire dessus d'un geste devenu habituel. Elle fait le tour de la voiture, vient ouvrir la portière passager et en retire un imperméable léger qu'elle enfile. Au-dessus d'elle, une petite vague de vent chaud secoue paresseusement les grands arbres. Sur sa gauche, le promeneur avance avec son chien, c'est un teckel qui renifle les roues en tirant sur sa laisse, elle aime bien les teckels, ils ont bon caractère. L'homme lui sourit. C'est comme ça que se font les rencontres parfois, on a un chien, on parle de chiens, on sympathise. D'autant que le promeneur est plutôt pas mal, la cinquantaine encore verte. Mathilde répond à son sourire et sort la main droite de sa poche. L'homme s'arrête net en découvrant le pistolet Desert Eagle prolongé par un silencieux. La lèvre supérieure de Mathilde se retrousse insensiblement. Pendant une fraction de seconde le canon se dirige vers le front de l'homme, mais aussitôt il plonge et Mathilde lui tire une balle dans les parties. Il écarquille les yeux, ébahi, l'information n'est pas encore montée au cerveau, il se courbe en deux, grimace enfin et s'écroule sans bruit. Mathilde fait lourdement le tour du corps. Une tache brune s'agrandit entre les jambes du type et gagne lentement sur le trottoir. L'homme a gardé les yeux grands ouverts et la bouche aussi, dans une expression de surprise et de douleur foudroyante. Elle se penche et le regarde fixement. Il n'est pas mort. On pourrait lire, sur le visage de Mathilde, un curieux mélange d'étonnement et de satisfaction. On dirait une grosse enfant qui découvre, émerveillée, un insecte inhabituel. Elle fixe la bouche où le sang monte par petites vagues d'une odeur écœurante. Mathilde semble vouloir dire quelque chose, ses lèvres tremblent, sous l'effet de la stimulation nerveuse, son œil gauche est saisi d'un tiraillement spasmodique. Elle approche le canon de son arme, le pose au milieu du front, émet une sorte de râle. On pense que les yeux de l'homme vont lui sortir des orbites. Mathilde change soudain d'avis et lui tire une balle dans la gorge. Sous l'impact, on dirait que la tête se détache du cou. Mathilde se recule, dégoûtée. La scène n'a pas duré plus de trente secondes. Elle s'avise alors du teckel pétrifié au bout de sa laisse, tendu, effrayé. Il lève vers elle un regard hébété et reçoit lui aussi une balle dans la tête. La moitié du chien disparaît aussitôt sous l'impact, ce qui reste est un quartier de viande.

Mathilde se retourne, regarde l'avenue. Toujours aussi calme. Les voitures continuent de glisser, imperturbables. Le trottoir est vide comme un trottoir de riches à la nuit tombée. Elle remonte en voiture, pose l'arme sur le siège passager, met le contact et déboîte tranquillement.

Quittant la contre-allée, elle s'engage prudemment sur l'avenue, direction le boulevard périphérique.

Ludo, que le démarrage a réveillé, se met debout et pose la tête sur l'épaule de Mathilde.

Elle lâche une main du volant pour flatter le mufle du dalmatien en disant d'une voix chaude :

– Bon chien chien, ça !
Il est vingt et une heures quarante.

*

Il est vingt et une heures quarante-cinq lorsque Vassiliev termine son travail. Le bureau sent un peu la transpiration. Le seul avantage des soirées de garde à la PJ est de lui permettre de résorber l'énorme retard des rapports qu'il doit au commissaire Occhipinti, qui les réclame, mais ne les lit jamais. « Faites-moi une synthèse, mon vieux », dit-il en enfournant des poignées de cacahuètes. Lui, Vassiliev, l'odeur, rien que d'y penser…

Il n'a quasiment pas déjeuné et rêve maintenant de s'ouvrir une boîte… Une boîte de quoi ? se demande-t-il. Mentalement, il visite le placard de la cuisine. Petits pois, haricots verts, thon à l'huile, on verra… Il n'est pas un gourmet, ni même un gourmand. Il le confesse d'ailleurs avec placidité : je n'aime pas manger. Quel qu'il soit, l'entourage pousse aussitôt les hauts cris, c'est incroyable, comment peut-on ne pas aimer manger ? Ça sidère tout le monde comme une anomalie, une conduite antisociale. Antipatriotique. Vassiliev, impavide, continue de se nourrir douze mois par an de bœuf en gelée, de confiture de groseilles, de boissons sucrées, son estomac encaisse. Cette alimentation aurait fait de n'importe qui d'autre un obèse. Lui n'a pas pris un gramme depuis plus de dix ans. L'avantage, c'est qu'il n'y a pas de vaisselle à faire. Sa cuisine ne contient aucun ustensile, juste une poubelle et des couverts en inox.

Mais la boîte de conserve, peu importe son contenu, recule dans l'ordre de ses priorités parce qu'il doit d'abord aller à Neuilly rendre visite à M. de la Hosseray.

– Il a demandé plusieurs fois à vous voir, a dit l'infirmière. Il serait bien déçu.

Elle a un fort accent cambodgien. Elle s'appelle Tevy, c'est une petite jeune femme, trente ans peut-être, légèrement boulotte, d'une tête de moins que lui, mais que ça ne semble pas gêner. C'est elle qui s'occupe de Monsieur depuis un mois. Bien plus serviable, plus aimable que la précédente, une vraie porte de prison celle-là… Une gentille fille, oui, Vassiliev n'a jamais eu l'occasion de parler réellement avec elle, il ne veut pas avoir l'air, enfin, vous voyez…

– Quand on est de garde du soir, a-t-il plaidé, on ne sait pas à quelle heure on termine, vous comprenez…

– Oui, c'est la même chose pour nous…, a répondu Tevy.

Il n'y a pas de reproche dans la voix, mais Vassiliev est quelqu'un qui se sent facilement coupable. Tevy travaille avec une autre infirmière, mais c'est elle qui fait l'essentiel des gardes, il n'a jamais très bien compris son emploi du temps, c'est quasiment toujours elle qu'il a au téléphone, qu'il rencontre lorsqu'il se rend chez Monsieur.

– Rappelez quand vous aurez terminé, ajoute-t-elle gentiment. Je vous dirai si ça vaut encore la peine…

Traduction : si M. de la Hosseray est debout et pas trop fatigué. Il dort beaucoup et ses moments de veille sont imprévisibles.

Comme à vingt et une heures cinquante-cinq son collègue Maillet arrive pour le relever, il n'a plus aucun prétexte, direction Neuilly. Il est assez lâche pour chercher un faux-fuyant, mais trop honnête pour inventer une excuse.

Sans entrain, il enfile sa veste, éteint la lumière et gagne le couloir d'un pas fatigué par cette journée idiote.

Vassiliev. René Vassiliev.

Ça sonne russe parce que justement, c'est russe. Le nom lui vient de son père, un homme grand et large à la moustache drue et dont le regard, éternellement fixe, trône dans un cadre ovale au-dessus du buffet de la salle à manger. Papa s'appelait Igor. Il a séduit Maman le 8 novembre 1949 et il est mort trois ans plus tard, jour pour jour, montrant ainsi qu'il était un homme précis et ponctuel. Pendant ces trois ans, il a conduit son taxi dans toutes les rues de Paris, il a fait un petit René à Maman, puis il est tombé dans la Seine un soir de saoulerie avec des collègues russes blancs qui ne savaient pas nager plus que lui. On l'a ressorti de l'eau avec difficulté, il est mort d'une pneumonie foudroyante.

Voilà pourquoi René s'appelle Vassiliev.

Vassiliev s'appelle René parce que Maman a voulu rendre hommage à son père à elle, tant et si bien que l'inspecteur porte le nom et le prénom de deux hommes qu'il n'a jamais connus.

Il a hérité de Papa sa haute taille (1,93 m) et de Maman sa maigreur (79 kg). De Papa, il a reçu le front haut, la poitrine volumineuse, la démarche pesante, l'œil clair et la mâchoire large. De Maman, une certaine tendance au lymphatisme, une patience inépuisable et une probité à toute épreuve. C'est assez curieux d'ailleurs, physiquement il est grand, dégingandé, osseux, mais on dirait qu'il est vide, c'est sans doute le manque de musculature.

Ses cheveux se sont mis à tomber lorsqu'il avait vingt ans. Cette désertion s'est arrêtée avec la même perfidie qu'elle avait commencé, cinq ans plus tard, laissant au sommet de son crâne un terrain rond et pelé, dernier stigmate de la guerre livrée pendant tout ce temps par Maman à grand renfort d'onguents, d'œufs au vinaigre et de produits miracles, combat déterminé que Vassiliev a subi avec placidité et dont Maman a été certaine d'être sortie vainqueur. C'est aujourd'hui un homme de trente-cinq ans calme et entêté. Il vit seul depuis la mort de Maman dans l'appartement qu'il occupait avec elle, qu'il a partiellement réaménagé, mais pas trop. Ce qu'on peut dire du peu de famille qui lui reste, c'est qu'elle a mauvaise haleine. Hormis un pull marin et un bouteillon en étain destiné à recevoir de la vodka, Papa ne lui a laissé en souvenir que la présence de M. de la Hosseray, qu'Igor – bien avant la rencontre avec Maman – avait

transporté ponctuellement matin, midi et soir, quasiment chauffeur personnel. À la mort de Papa, M. de la
Hosseray, ému, a décidé de verser une bourse au petit
René dont la Maman était dans le besoin. Le bien-aimé
bienfaiteur a ainsi subventionné les études de René jusqu'à la licence en droit et l'École nationale de police
en souvenir de son taxi préféré. M. de la Hosseray est
réputé sans enfants (ça reste à vérifier…) et sans famille
(si ça n'est pas le cas, elle se fait bien discrète, Vassiliev
n'a jamais vu personne auprès de lui). Ses biens passeront dans les mains de l'État qu'il a servi avec conscience
pendant quarante-trois ans, notamment comme préfet
de département (Indre-et-Loire ? Cher ? Loiret ? René
ne parvient jamais à s'en souvenir), avant de revenir au
ministère et d'élever Igor Vassiliev à la dignité de
conducteur d'élite, entendez par là celui qui transporte
une élite.

Autrefois, René s'est demandé s'il n'y avait pas eu
quelque chose entre Maman et M. de la Hosseray, car
enfin, on ne fait pas une rente au fils d'un chauffeur de
taxi ! Enfant, il a souvent imaginé qu'il était le fils caché
de son bienfaiteur. Mais il suffisait de se souvenir de leur
entrée les jours de visite, de la manière timide, apeurée,
mais d'une dignité presque voyante, revendiquée, dont
Maman saluait Monsieur pour comprendre qu'il n'en
était rien et c'est presque dommage, car du coup, le
poids de la dette, s'il y en a une, repose sur le seul René,
qui ne peut même pas le partager avec sa mère.

M. de la Hosseray est riche et sans doute plus que cela, mais il a une haleine insupportable que René prenait en pleine poire deux heures par mois, le jour où Maman le conduisait à Neuilly pour rendre grâce au bien-aimé bienfaiteur. Monsieur a aujourd'hui quatre-vingt-sept ans. Sa mauvaise haleine n'est plus pour grand-chose dans le calvaire hebdomadaire de René ; c'est de le voir vieillir, perdre le goût aux choses, qui étreint René.

Vassiliev passe par le bureau de Maillet. Rien à signaler. Il traînerait volontiers encore un peu, mais il devra finir par se décider à partir pour Neuilly alors, tant qu'à faire, autant se débarrasser.

Il est arrêté par un coup de fil.

Maillet est tout ouïe. Ils ont le regard rivé sur l'horloge murale qui indique vingt et une heures cinquante-huit. Meurtre en pleine avenue Foch. Le collègue qui appelle est essoufflé, on ne sait pas si c'est la course jusqu'au téléphone ou parce qu'il est impressionné.

– Maurice Quentin ! crie-t-il.

Maillet hurle de joie, le bras tendu vers l'horloge. Vingt et une heures cinquante-neuf ! Vassiliev est de service jusqu'à vingt-deux heures, c'est pour lui ! René ferme les yeux. Maurice Quentin. Même quand on n'est pas un habitué du CAC 40, on voit de qui il s'agit. Travaux publics, cimenteries, pétrole, Vassiliev ne sait plus très exactement. Grand patron français. Dans les revues financières, on dit « le président Quentin ». Vassiliev ne se souvient plus de sa tête. Maillet a déjà composé le numéro du commissaire.

Même au téléphone, on dirait qu'Occhipinti mâche quelque chose. C'est sans doute vrai, il n'arrête de s'empiffrer que pour dormir ou parler à la hiérarchie.

– Quentin ! Bordel de merde…

Le commissaire est un homme très fatigant.

Il arrive avenue Foch à peine deux minutes après son inspecteur et déjà il électrise tout le monde avec son angoisse, sa nervosité, sa manière de marcher en tous sens, de donner, à tort et à travers, des ordres que Vassiliev corrige calmement dans son dos.

Occhipinti mesure un mètre soixante-trois, mais il trouve que ça n'est pas assez et porte des talonnettes. C'est un homme pour qui l'humanité se répartit entre les gens qu'il admire et ceux qu'il déteste. Il voue un culte absolu à Talleyrand, dont il tente de citer des aphorismes tirés de recueils de citations, de livres d'André Castelot ou de livraisons du *Reader's Digest*. Il passe ses journées à s'enfourner dans le cornet des poignées de cacahuètes, de pistaches ou de noix de cajou, c'est assez pénible à supporter. Au-delà de ça, c'est un vrai con. Il est de ces fonctionnaires mesquins et hypocrites qui doivent tout à leur bêtise, rien à leur talent.

Vassiliev et lui ne s'aiment pas.

Depuis qu'ils travaillent ensemble, Occhipinti est obsédé par l'idée de faire plier Vassiliev parce qu'il le trouve trop grand. L'inspecteur n'est pourtant pas du genre à porter ombrage à qui que ce soit, mais son supérieur a des idées fixes et s'est ingénié, dès le début, à lui refiler les planches pourries disponibles au magasin des accessoires. Comme tous les êtres qui entretiennent des rancunes tenaces, Occhipinti a une intuition fulgurante de ce qui peut déplaire à autrui et donne à Vassiliev tout ce qui lui fait horreur. C'est ainsi que René s'est tapé un nombre incalculable de viols suivis de meurtres (ou l'inverse). Il en est devenu un spécialiste, ce qui permet au commissaire de lui refiler tous les dossiers au prétexte qu'il est le plus compétent dans le domaine. Vassiliev accueille tout cela avec philosophie. On dirait juste qu'il a le poids du monde sur les épaules. « C'est pour ça qu'il est voûté », assure Occhipinti.

Avenue Foch, le seul moment d'accalmie entre les deux hommes, c'est devant le corps. Ce qu'il en reste. Ils en ont vu d'autres, mais ils sont impressionnés.

– C'est du lourd, lâche le commissaire.

– .44 Magnum, à mon avis, répond Vassiliev.

Ce genre de calibre doit arrêter un éléphant en pleine course. Les dégâts provoqués au bassin et à la gorge rendent très compliquée la tâche des techniciens qui viennent d'arriver.

Vassiliev est partagé.

La manière évoque le crime passionnel, on ne tire pas dans les couilles sans de solides raisons. Pour la balle dans la gorge, c'est un peu pareil, ça n'arrive pas tous les jours. Et même pour le teckel... Tirer dessus à bout portant... Il y a là un acharnement visible, une rage de détruire, qui évoque une vengeance, une fureur... Mais le lieu, le moment, le recours à un silencieux (personne n'a rien entendu, une voisine promenant son chien a découvert le corps par hasard) évoqueraient plutôt un meurtre prémédité, froid, calculé, presque professionnel.

Les techniciens font des photos. On ne sait pas comment ils ont été prévenus, mais des reporters arrivent à leur tour avec des appareils, des flashs, l'un d'eux porte une caméra, il y a la TV et une journaliste, l'air décidé, le commissaire s'envoie une poignée de pistaches, les nerfs, sans doute.

– C'est vous qui irez, dit Occhipinti, qui ne se met devant les caméras que lorsqu'il y trouve avantage. Mais attention, hein, pas de conneries !

Vassiliev envoie des hommes recueillir les premiers témoignages s'il y en a, ce qui serait surprenant.

Puis le juge arrive, Vassiliev s'esquive. Le juge l'appelle, Vassiliev revient.

Il ne le connaît pas. Le magistrat donne des ordres. C'est un homme jeune qui regarde avec appréhension les badauds et les reporters serrés derrière la barrière gardée par deux uniformes.

– Le moins d'informations possible ! dit-il à Vassiliev.

Sur ça, tout le monde est d'accord. Et ça ne sera pas difficile parce que, hormis l'identité du défunt, il n'y a pas grand-chose à dire.

C'est le juge et le commissaire qui vont devoir s'occuper de la famille, ça grouille de partout. À Vassiliev l'hémoglobine, les techniciens, l'équipe chargée de l'enquête de proximité, de recueillir des témoignages s'il y en a…

Fataliste, il s'approche de la journaliste qui depuis tout à l'heure lui fait de grands signes avec les bras.

Toutes les tâches, même désagréables, ont une fin.

Enfin, les équipes reviennent, passablement bredouilles, les techniciens replient leur matériel et emportent le corps, on éteint les grands projecteurs, replongeant l'avenue dans l'obscurité, la nuit de mai reprend ses droits, il est tard, vingt-trois heures trente. Vassiliev a échappé à la corvée de Neuilly, c'est toujours ça de gagné. Par acquit de conscience, il compose le numéro de l'infirmière, il va promettre de venir demain.

– Vous pouvez passer maintenant, dit-elle. Monsieur est éveillé, il sera content de vous voir.

Il y a vraiment des jours dont on ne voit pas la fin.

*

Henri Latournelle, parce qu'il a autrefois dirigé un réseau de résistance dans le sud-ouest de la France, continue d'être appelé « commandant » quand il est là et « le commandant » quand il n'y est pas. C'est un homme de soixante-dix ans, de cette vieillesse sèche, un peu aride, qu'on trouve chez les égoïstes, les obsessionnels, mais aussi chez les êtres qui ont traversé de nombreuses épreuves et qui en sont sortis aguerris. Il porte des foulards en soie à l'échancrure de ses chemises ouvertes. Ses cheveux très blancs et ses allures de major de l'armée des Indes, si on les ajoute à l'appellation de commandant, donnent à l'ensemble de sa personne quelque chose de vaguement décadent, comme chez ces nobliaux ruinés qui comptent leurs sous dans des hôtels de luxe, à qui le personnel donne du « Monsieur le comte », mais en se poussant du coude. Pour autant, avec son visage à angles durs, ce masque de fermeté, personne ne le trouve risible. Le commandant vit seul dans sa maison de famille près de Toulouse et, malgré les apparences, ne pratique ni le cheval ni le golf, ne boit jamais et parle peu. Bien des hommes ont un problème avec l'âge. Soit ils refusent les années et ils sont pathétiques, soit ils les revendiquent et ils sont ridicules. Henri Latournelle fait évidemment partie de la seconde catégorie, mais avec une retenue qui le rend moins grotesque que les autres. Juste un peu vieux jeu.

Assis dans le fauteuil du salon, il attend les informations de minuit en tenant entre les mains une photo grand format en noir et blanc représentant un homme d'une cinquantaine d'années, dont le visage s'inscrit sur l'écran dès l'annonce des titres du dernier journal TV de la journée. C'est la même photo exactement. Des projecteurs trouant la nuit d'une lumière aveuglante montrent ensuite le trottoir de l'avenue Foch. Les journalistes sont arrivés peu après la police. Les cameramen ont eu le temps de s'installer et mitraillent les techniciens de la balistique qui, pressés comme des garçons de restaurant, prennent des mesures et flashent le corps du défunt. Le téléspectateur tardif a ainsi droit à quelques images qui font toujours sensation, le cadavre comme jeté en vrac par la mort, puis l'enlèvement précédé du drap plastifié qu'on tire avec un semblant de pudeur, la civière à roulettes qu'on avance jusqu'à l'ambulance et enfin le claquement sec du hayon arrière qu'on referme, dernier acte, rideau. Les objectifs s'attardent avec complaisance sur la tache de sang qui finit au caniveau, délicatesse dont la presse a le secret.

Les gyrophares teintent de bleu la façade et les premières fenêtres de l'immeuble. La journaliste de la télévision fait le point sur le crime dont il n'y a rien à dire sauf ceci : Maurice Quentin, patron d'un consortium international et homme d'influence, vient d'être tué en bas de son domicile parisien. Un grand escogriffe, inspecteur de la police judiciaire, bafouille quatre mots incompréhensibles. Henri patiente, il est inquiet.

On peut imaginer toutes sortes de raisons à un crime comme celui-là et dire qu'il doit bien se trouver, hélas, quelques dizaines de personnes pour souhaiter la mort d'un homme aussi admirable, mais pour l'heure tout ce qu'on peut dire tient en une phrase : Maurice Quentin achevait sa promenade vespérale avec son chien lorsqu'il avait été abattu. Presque aussi révoltante que le crime lui-même, on relève la manière dont il a été accompli. Il n'est pas nécessaire d'attendre les conclusions de l'autopsie pour voir que Quentin a reçu plusieurs balles, dont une dans le bas-ventre, une autre en pleine gorge qui, au sens propre, lui a fait quasiment perdre la tête. Si l'on ajoute à cela que son chien est devenu à son tour une victime en recevant une belle dose de plomb dans la truffe, cela laisse à penser qu'il y a là quelque chose de personnel. Le meurtre ici sonne comme un massacre. Il n'y a pas de crime propre, mais certains sentent la haine plus que d'autres.

Le commandant pousse un soupir, ferme les yeux. Merde…, pense-t-il. Et ça n'est pas dans ses habitudes.

*

Mathilde vient de manger des sardines. Elle n'y a pas droit, évidemment, mais c'est la récompense qu'elle s'offre après une mission réussie. Elle a toujours réussi ses missions. Elle termine de saucer l'huile en regardant la télévision. Elle trouve que le bonhomme était mieux en vrai que sur le portrait du journal TV. Mieux, du moins jusqu'à ce qu'elle intervienne. Elle regrette qu'on n'ait pas assez parlé de son teckel, on dirait que ça ne les intéresse pas, les chiens…

Elle se lève lourdement et, tandis que les images agrandissent la trace de sang sur la chaussée, elle débarrasse son bout de table.

Après avoir quitté l'avenue Foch, elle est passée par le pont Sully, son préféré. Elle connaît tous les ponts de Paris, il n'y en a pas un d'où elle n'ait jeté un pistolet ou un revolver au cours des trois dernières décennies. Même pour les missions en province, mais ça, elle ne l'a jamais dit à Henri. C'est comme une manie. Elle dodeline de la tête en souriant. C'est une femme qui s'attendrit facilement sur ses petits travers, on dirait qu'elle les dorlote. Et donc, même après les missions en province, contrairement au règlement qui veut que l'arme qu'on lui confie soit abandonnée le plus rapidement possible, elle l'a toujours ramenée à Paris. Pour la jeter dans la Seine. Puisque ça me porte bonheur ! Je ne vais quand même pas abandonner mon gri-gri pour une règle à la con édictée par je ne sais quel crâne d'œuf, merde alors ! Pareil pour les demandes de matériel. Elle refuse de travailler avec de petits calibres qui, à son avis, sont tout juste bons pour les drames bourgeois et les querelles d'adultère. Et ça n'a pas été facile d'obtenir des gros calibres, elle a dû se battre avec les Fournitures, il paraît que le DRH était réticent. C'est ça ou rien ! a-t-elle dit. Comme elle est un bon élément, le DRH a cédé. Il a dû s'en féliciter. Avec Mathilde, jamais une balle plus haute que l'autre, du travail propre et sans bavures. Ce soir est une exception. Une fantaisie. Elle aurait pu agir de plus loin, faire moins de dégâts, et ne tirer qu'une seule balle, bien sûr. Je ne sais pas ce qui m'a pris, voilà. Si on lui demande, c'est ce qu'elle dira. D'ailleurs, ça n'a pas d'importance, l'important c'est que le type soit mort, non ? C'est même un avantage quand on y réfléchit ! La police va partir sur une fausse piste, ça éloigne les suspicions, ça protège le client ! C'est ça qu'elle dira ! Et pour le chien ? Mathilde n'est pas en peine d'explications : vous imaginez le malheur de ce pauvre teckel obligé de vivre sans son maître bien-aimé ? Si on l'avait interrogé, je suis certaine qu'il aurait préféré partir lui aussi plutôt que de rester seul à se morfondre. Surtout dans une famille qui ne l'a pas choisi, où personne ne l'aime et qui n'aura qu'une hâte, le déposer à la SPA. Voilà ! C'est ce qu'elle dira.

Et donc, cette nuit, c'était le pont Sully.

Elle a trouvé à se garer rue Poulletier et comme à son habitude, elle est allée flâner sur le pont, couverte de son imperméable léger, puis elle s'est accoudée à la balustrade pour balancer le Desert Eagle à la baille.

Elle est saisie d'un doute.

L'a-t-elle jeté ou a-t-elle cru le faire ?

Bon, peu importe, il est temps d'aller au lit.

– Ludo !

Le grand chien se soulève à regret, s'étire et la suit jusqu'à la porte qu'elle entrouvre. Il s'avance, lève la truffe.

Quelle douceur, se dit Mathilde, quelle merveille. Sur la droite, la haie de thuyas la sépare du jardin de M. Lepoitevin. Selon elle, c'est un con. C'est souvent le cas des voisins, se dit-elle. Elle ne sait pas pourquoi, mais elle est toujours tombée sur des cons et celui-ci ne fait pas exception. Lepoitevin… Rien que son nom…

La main, dans sa poche, tripote machinalement un morceau de papier qu'elle extirpe. C'est son écriture. Les coordonnées de la cible de l'avenue Foch. Normalement, elle ne doit rien noter par écrit. Lorsqu'elle file quelqu'un pour chercher le meilleur plan, tout emmagasiner de tête, c'est la règle. C'est interdit par le DRH d'écrire quoi que ce soit. Bon, je prends des petits arrangements avec la loi, se dit-elle, rien de bien méchant. Pas vu, pas pris. Elle froisse le papier, cherche où le jeter, elle fera ça plus tard. Le grand jardin somnole. Elle aime cette maison, elle aime ce jardin. Elle regrette un peu d'y vivre seule depuis si longtemps, mais c'est ainsi. Ce genre de pensée la ramène toujours peu ou prou à Henri. Le commandant. Allez, ça n'est pas le moment de s'apitoyer.

– Ludo !

Le chien revient, Mathilde ferme derrière lui, attrape au passage le Desert Eagle équipé de son silencieux qu'elle a posé sur la table en arrivant. Elle ouvre un tiroir de cuisine, mais il y a déjà un Luger 9 mm Parabellum, je vais plutôt le mettre dans un carton à chaussures, se dit-elle. Elle éteint les lumières et monte à sa chambre, ouvre la penderie. Mon Dieu, quel bordel ! Avant, elle savait ranger, mais maintenant… C'est comme la cuisine, avant tout était net, briqué, pas une tache à l'horizon. Aujourd'hui, elle le sait bien, elle se

LE SERPENT MAJUSCULE

relâche. Passer l'aspirateur, ça va encore, mais pour le reste, le courage lui manque, l'énergie. Ce qu'elle déteste, ce sont les taches. De graisse, de café. Les auréoles. Ça, elle ne le supporte pas, et faire les vitres est devenu un calvaire, d'ailleurs, elle ne les fait plus. Si elle n'y met pas le holà, cette turne va devenir... Elle chasse cette idée déplaisante.

Dans le premier carton, il y a un Wildey Magnum, dans le second, une LAR Grizzly Parabellum, plus loin une paire de chaussures beiges qu'elle ne mettra plus, ses pieds gonflent maintenant, les trucs comme ça, avec des lanières sur le dessus, ça me fait un mal de chien. Elle les jette dans la corbeille. Pour faire entrer le Desert Eagle dans la boîte, elle doit retirer le silencieux. Il y a sans doute trop d'armes dans cette maison, au fond, elle n'a pas besoin de tout ça. C'est comme l'argent liquide, elle en a mis un gros paquet dans un sac, dans la penderie, à une époque où ça lui semblait nécessaire, ce qui n'a jamais été le cas. Elle pourrait se faire voler, elle devrait déposer tout ça à la banque.

Tandis qu'elle se brosse les dents, elle se revoit sur le pont Sully.

Ah, si elle n'avait pas préféré sa campagne, comme elle aurait aimé habiter ce quartier ! Elle en aurait les moyens, avec tout ce qu'il y a sur son compte à Lausanne. Ou à Genève, elle ne se souvient jamais. Si, Lausanne. Oh, peu importe. Elle repense soudain au papier resté dans sa poche, elle fera ça demain. Non, elle prend des libertés

43

avec la règle, mais Mathilde n'est pas du genre à courir des risques inutilement. Elle s'oblige à redescendre. Ludo est couché en rond dans son panier. Dans quel vêtement a-t-elle laissé ce maudit papelard... ? Elle fouille le manteau, ne trouve rien. La veste d'appartement ! C'est en haut, elle remonte, c'est d'un pénible. La voici. Et le papier ! Elle redescend, s'approche de la cheminée, saisit la boîte d'allumettes, brûle le papier.

Je suis en règle.

Elle remonte, se couche.

Le soir, elle lit trois lignes et s'endort.

La lecture et moi, ça fait deux.

*

Tevy ouvre la porte avant que Vassiliev ait sonné.

– Il va être content de vous voir.

Elle est gaie comme tout, on jurerait que c'est à elle qu'il rend visite. Vassiliev s'excuse d'arriver si tard. Elle se contente de sourire à nouveau. C'est un vrai langage, ce sourire-là.

Habituellement, dès la fin de journée, l'appartement est plongé dans une pénombre un peu oppressante. De la porte d'entrée, on ne voit que le long couloir qui distribue des pièces sombres et, tout au fond, la lumière de la chambre de Monsieur. Vassiliev a l'impression que la vie est réduite à cette pièce, dont la lampe, vaguement clignotante quand on l'aperçoit de loin, ne demande qu'à s'éteindre. Après, c'est ce couloir à parcourir, un calvaire.

Cette nuit, rien de tout ça.

Tevy a allumé quasiment toutes les pièces. Ça n'est pas vraiment gai, mais c'est plus vivable. René suit l'infirmière dans le couloir, on entend des voix dans la chambre du fond…

Tevy s'arrête et se tourne vers René.

– Je lui ai installé la télévision. Pour lui, aller au salon, parfois, c'est toute une histoire…

C'est dit sur le ton de la confidence, comme une blague.

La chambre a changé. La télévision est installée au pied du lit, un petit bouquet de fleurs est posé sur le guéridon, les livres, les revues de Monsieur ont été alignés proprement sur les étagères, ainsi que les journaux pliés à droite du lit. Les médicaments (une vraie pharmacie) ne sont plus étalés sur la table ronde, mais masqués par le paravent japonais qui a été apporté du petit salon… Même Monsieur semble changé. D'abord, il est éveillé, ce qui n'est pas fréquent à cette heure-ci. Il est assis, le dos appuyé contre une masse d'oreillers, les mains posées sur le drap, et il sourit à l'entrée de Vassiliev. Son teint est plus frais, ses cheveux bien peignés.

– Ah, René, te voilà enfin…

Pas de reproche dans sa voix, un soulagement.

En allant tendre son front au baiser du vieillard, autre surprise, il n'a pas l'haleine fétide qu'il lui a si souvent

45

connue. Ça sent… Ça ne sent rien, c'est un immense progrès.

La télévision est allumée, Monsieur désigne la chaise à côté de lui, Vassiliev s'y assied après avoir cherché du regard où poser son manteau. C'est Tevy qui le prend et l'emporte.

– Tu ne viens pas bien souvent…

La conversation avec Monsieur tourne vite au rituel. D'un bout de l'année à l'autre, les mêmes phrases rythment les échanges. Il y aura « Tu n'as pas très bonne mine », puis « Ne me demande pas de nouvelles de ma santé, ce serait trop long », « Alors, quoi de neuf dans la police de la République ? », enfin « Je ne veux pas te retenir, mon petit René, c'est si gentil déjà d'être passé, la compagnie d'un vieillard n'est pas… », etc.

– Tu n'as pas très bonne mine, mon petit René.

Ah oui, il y a ça aussi, il a toujours dit « mon petit René », même lorsque, à seize ans, son protégé a atteint le mètre quatre-vingt-huit.

– Comment allez-vous ?

Ces derniers temps, Monsieur se plaint moins. Depuis l'arrivée de la nouvelle infirmière, il a repris de l'allant. Il fait plus vieux, mais moins malade.

Tevy vient d'entrer, portant un plateau avec des verres, des tasses, et propose camomille, eau minérale, « ou quelque chose de plus… reconstituant ? ». Sur certains mots, elle semble hésiter et les prononce avec un point d'interrogation à la fin. Vassiliev décline d'un geste de la main.

– Il est presque minuit, dit Monsieur. L'heure du crime !

C'est une blague très répétitive chez Monsieur, mais au moins, cette fois, elle est de circonstance, parce que le journal télévisé de minuit s'annonce par son générique tapageur.

Maurice Quentin fait la une.

René est assis sur une chaise à droite de Monsieur, Tevy, sur une chaise à gauche. À eux trois, c'est une sorte de tableau de genre.

Tevy regarde René lorsque son visage apparaît sur l'écran, aussi embarrassé que quand elle l'accueille dans l'appartement. Elle sourit. René se tourne vers Monsieur. Il dort.

*

– J'ai fait des nouilles. Asiatiques.

René allait partir lorsque l'infirmière lui a proposé d'en faire réchauffer.

– Je ne sais pas si vous aimez ça…

Ce n'est pas le moment de s'expliquer sur ses rapports à la nourriture.

– Ma foi…

Alors ils dînent sur la table ronde, dans le grand salon, c'est une sorte de pique-nique.

Elle a été surprise de voir le visage de René sur l'écran, comme flattée.

– Vous êtes chargé d'une grande enquête !

Vassiliev sourit. Le qualificatif lui rappelle sa mère pour qui existaient la musique et la grande musique, la cuisine et la grande cuisine, les écrivains et les grands écrivains. Le voici à son tour propulsé dans la cour des grands.

– Oh, vous savez…

Il voudrait se montrer comme il est en réalité, modeste. Mais il ne peut s'empêcher de briller à peu de frais, de paraître.

L'infirmière est bien plus jolie qu'il le pensait. Ses yeux rieurs soulignent une bouche charnue, sensuelle. Elle est un peu ronde, oui, ou plutôt, Vassiliev cherche le mot… Confortable, c'est ce qui lui vient.

Elle a une manière drôle, très dérisoire, de raconter son périple depuis le Cambodge, le bateau avec la famille, les camps de réfugiés, les diplômes non reconnus, les études à reprendre. « Et le français que j'ai appris n'avait pas grand-chose à voir avec celui d'ici. »

Ils parlent assez bas, sans savoir pourquoi, comme dans une église, pour ne pas réveiller Monsieur. René tâche de manger proprement, ça n'est pas toujours facile.

– Il est très en forme, je trouve, dit René.

C'est moins un diagnostic qu'un compliment. Tevy ne le remarque pas ou choisit de ne pas l'entendre.

– Oui, il va bien, ces temps-ci. C'est lui qui a demandé

à sortir. Il marche encore bien, vous savez. On va au parc. On y passe bien deux heures, quand la météo le permet. Ah oui, je ne vous ai pas dit : nous sommes allés au cinéma !

Vassiliev en reste comme deux ronds de flan.

– Comment vous… Le bus, le métro ?

– Oh non, ce serait un peu long pour lui, non, je l'ai emmené en voiture. Mon Ami 6 n'est pas beaucoup plus en forme que Monsieur, elle doit avoir à peu près le même âge, mais la suspension est encore bonne, pour lui, c'est surtout ça qui compte. Nous sommes allés voir… Oh, pardon.

Elle pouffe dans sa main.

– Oui ?

– *Poulet au vinaigre…*

Ils rient.

– Eh bien, ça lui a beaucoup plu. Il m'a dit qu'il n'était pas allé au cinéma depuis plus de dix ans, c'est vrai ?

– Je ne sais pas si c'est vrai, mais c'est possible.

– Bon, il s'est endormi avant la fin, mais c'était une bonne journée, je crois. Et avant-hier, nous sommes allés à…

L'infirmière parle vraiment beaucoup.

Quand elle le raccompagne à la porte :

– Mon prénom, Tevy, veut dire « celle qui écoute », on ne dirait pas, je sais…

6 mai

Au téléphone la voix de Madame veuve Quentin n'est pas particulièrement engageante. Articulation soignée, tonalité condescendante, vocabulaire choisi, ce n'est pas un échange au téléphone, c'est la vitrine culturelle de Madame.

Le hall de l'immeuble ressemble à cette voix, froide et polie. La moquette commence à la lourde porte d'entrée. Comble de la propreté, ça ne sent pas l'encaustique comme dans un immeuble bourgeois. De la loge de la concierge, Vassiliev voit l'escalier monumental strié de tringles en cuivre et l'ascenseur, dont la cage en bois sculpté doit être classée monument historique. Un homme apparaît à la vitre de la loge, qui regarde le visiteur sans prononcer un mot. L'atmosphère de l'immeuble est compassée. Est-ce l'habitude ou parce que c'est la maison d'un mort ? Vassiliev a le temps d'apercevoir, dans la loge, un buffet Henri II, une table recouverte d'un napperon, quelques fleurs et, à quelques pas de là, un petit garçon qui s'arrête de jouer avec son chat quand la porte est ouverte. Vassiliev délaisse l'ascenseur pour l'escalier.

La bonne, par le mimétisme fréquent des gens de maison qui finissent par ressembler à leurs maîtres, ouvre à Vassiliev et tient la porte entrouverte un long moment avant de le laisser passer. C'est une petite femme, la cinquantaine aride, le regard suspicieux. Vassiliev s'est fait annoncer, mais il tend tout de même sa carte, que la domestique détaille avant de le faire entrer à regret et de lui demander d'« attendre là ».

Appartement cossu. On voit la différence entre la richesse et le grand confort. Le décorateur n'a pas imposé son goût parce que ici le décorateur, c'est le temps, la culture des occupants, les meubles de famille, les cadeaux princiers, les souvenirs de voyages… Aux murs, pas de reproductions en sous-verre, des œuvres originales. Vassiliev s'approche d'une aquarelle en reconnaissant le port de Honfleur. La signature ne lui dit rien. Le motif lui évoque pas mal de choses et il est troublé de voir, dans la manière de ce tableau, l'atmosphère paisible du bassin portuaire curieusement démentie par la menace que semble faire peser la noirceur des maisons recouvertes de tuiles plates. C'est la voix de Madame Veuve qui le sort de sa réflexion.

La belle quarantaine qui ne manque de rien depuis l'enfance et surtout pas de respect. Maquillage raisonné, démarche ferme, l'air à peine pressé des gens polis qui vous écoutent, mais qui ont autre chose à faire de plus important. Vassiliev, machinalement, lisse le revers gondolé de sa veste, tousse légèrement, ce sont, version masculine, les gestes de Maman quand apparaissait M. de la Hosseray.

Madame Veuve détaille l'inspecteur, qui la dépasse d'une tête mais qui a les épaules voûtées et un costume de confection qui n'est pas de la première fraîcheur. Elle lui tend la main (« Bonjour, inspecteur », pas de monsieur) et le précède jusqu'au salon qui doit bien mesurer, selon Vassiliev, trois fois l'ensemble de son appartement à lui. Elle s'installe dans un canapé, désigne un fauteuil sur lequel il pose délicatement un bout de fesse.

Madame Veuve se penche, ouvre un coffret, sort une cigarette, l'allume avec un briquet de table, et s'avise qu'elle n'en a pas offert à son visiteur. Sans un mot, elle désigne le coffret, Vassiliev esquisse un geste poli de refus. Il a l'impression d'être un représentant en valeurs mobilières.

Madame Veuve fait beaucoup plus Madame de longue date que veuve récente.

– Que puis-je faire pour vous, inspecteur… ?

– Vassiliev.

– Oui, pardon, je l'avais oublié.

– Tout d'abord, je vous adresse mes plus sincères cond…

– Je vous en prie, ça n'est pas nécessaire.

Elle souffle la fumée par les narines, esquisse un sourire de complaisance qui disparaît aussitôt qu'apparu.

– Votre mari a…

– Mon époux.

Vassiliev ne voit pas clairement la nuance.

– Notre lien était administratif, principalement juri-
dique et fiscal, c'était mon époux. Un mari, c'est tout
autre chose. Il possédait les travaux publics, mon père
possédait les cimenteries. Et trois filles. Pour mon père,
d'ailleurs, c'était pareil. La première a épousé les travaux
publics, la seconde, la navigation fluviale et les docks
portuaires pour transporter et stocker les matériaux de
construction. La dernière a épousé le Crédit immobilier
pour financer les travaux publics.

Si Vassiliev connaît assez mal les femmes, il en a
tout de même croisé quelques-unes, et il a beau fouiller
sa mémoire, il n'en voit pas qui ressemblent, même de
loin, à cette veuve de la veille au soir.

– Je suppose que vous aimeriez en savoir davantage sur
la vie de mon époux. Et sans doute aussi sur la mienne…

– C'est-à-dire…

– Je propose de vous faire gagner du temps. Vous
allez bientôt découvrir l'existence des maîtresses de mon
époux. Pour ce qui concerne mes amants, au nombre de
trois à ce jour, je peux vous en fournir la liste afin de vous
éviter une perte de temps financée par le contribuable.

– Vous me semblez assez… amère vis-à-vis de
M. Quentin, je me trompe ?

Madame Veuve écrase sa cigarette et en allume une
autre. Vassiliev poursuit :

– Or la manière dont il a été tué évoque quelque
chose d'assez… passionnel, voyez-vous ?

– Je vois très bien. Vous vous interrogez sur un possible mobile conjugal et me demanderez sans doute
mon… alibi, c'est bien ainsi que vous appelez cela, non ?

– On se contente de parler d'emploi du temps.

– Eh bien, à l'heure où mon mari a été abattu en bas
de notre immeuble, j'étais dans un club libertin à caractère fétichiste, La Tour de Nesle, avec de nombreux
amis. Une merveilleuse soirée d'ailleurs, comme on aime-
rait en connaître plus souvent. Beaucoup d'hommes, très
peu de femmes. Nous avons terminé fort tard. Ma nuit
dans cet établissement doit pouvoir être retracée avec
tous les détails nécessaires, j'y suis très connue, c'est un
peu mon « second chez-moi » si je puis dire.

Vassiliev a sorti son carnet, nullement impressionné
par la provocation de Madame Veuve.

– Pour éviter des dépenses aux contribuables, dit-il,
si vous pouviez nous fournir la liste de vos amis avant
que nous allions chercher confirmation dans cet établissement, ce serait très aimable de votre part.

Madame Veuve fait un simple signe de tête, c'est
assez difficile à interpréter.

– Je ne sais rien, monsieur l'inspecteur, de la manière
ordinaire de tuer les gens et en quoi vous estimez particulièrement passionnelle celle qui a servi pour assassiner mon époux, mais si je puis me permettre…

Un temps, elle hésite, ou peut-être veut-elle créer un
effet.

– Mais bien sûr, l'encourage Vassiliev, tout ce qui peut être utile est bienvenu.

– Vous allez très bientôt vous trouver face à un écheveau serré de relations, d'affaires vaguement frauduleuses, de profits franchement suspects, tout cela tressé dans la plus parfaite orthodoxie comptable. Dans très peu de temps, les noms des personnes vouant à mon mari une haine assez tenace pour le tuer couvriront les murs de votre bureau. Et je suis prête à parier que vous regarderez tout autrement la manière dont il est mort et que vous y trouverez plus de rage que de passion.

– Je comprends.

Madame Veuve écarte les mains, est-ce tout ?

Vassiliev répond par une petite moue, ma foi…

On se donne la peine de le raccompagner au corridor puis à la porte d'entrée. C'est un égard soudain et tardif visant à lisser une relation qui, selon elle, ne s'est pas déroulée comme il l'aurait fallu.

– Pour vos amis de La Tour de Nesle, demande Vassiliev, je pourrais avoir la liste ce soir ?

*

Le commandant prend son manteau, sa casquette à carreaux et sort la voiture du garage. Il fait beau, mais il est d'humeur sombre. Il a mal dormi, c'est-à-dire encore moins que d'habitude. Il parcourt une vingtaine de kilomètres, entre dans un village répondant au nom énigmatique de Montastruc et s'arrête près d'une cabine téléphonique, à deux pas de la place de la mairie. Il compose un numéro, laisse sonner deux fois, raccroche et repart.

La départementale longe à cet endroit la petite vallée du Girou, un ruisseau qui se pique de figurer comme rivière sur les cartes de la région. Les abords boisés font alterner des zones d'une lumière claire avec des passages frais où l'ombre frôle le crépuscule. La route ne semble fréquentée que par une poignée d'habitués. Ce parcours est l'un de ses préférés et les rares fois où le loisir lui est donné de l'emprunter, il regrette de l'avoir réservé aux circonstances exceptionnelles. Et c'est bien le cas...

Il tourne dans la direction de Belcastel, s'arrête près d'une cabine téléphonique à l'entrée du village, consulte sa montre, fait quelques pas. La sonnerie le rappelle. Il constate avec un rien d'agacement que l'horaire n'est pas parfaitement respecté. Même trois minutes trop tôt, ce n'est pas l'horaire exact. Mais il n'est pas en situation de le faire remarquer.

– Oui...

– Monsieur Bourgeois ?

Ce n'est pas le commandant qui a choisi ce pseudonyme, on s'en doute.

– Oui.

– Je craignais de m'être trompé...

– Non, non, vous êtes au bon numéro.

Voilà. Le rituel est accompli. La première salve ne traîne pas :

– Qu'est-ce que c'est que ce travail ?

– Tout ne se passe pas toujours comme prévu.

– Ce n'est pas propre. Or nous voulons du travail propre. J'aimerais ne pas avoir à vous le rappeler.

Le commandant ne répond pas. De loin, de l'autre extrémité de la place, lui parvient l'écho d'une musique, un air connu qui lui dit vaguement quelque chose. Il le chasse d'un mouvement de tête.

– Vous êtes garant des missions qui vous sont confiées, reprend la voix. Mais vous connaissez le cahier des charges. En cas de malfaçon, c'est moi qui tranche.

Dans sa vie, le commandant a affronté toutes sortes de situations difficiles. Il a constaté que plus la situation est tendue, plus il est détaché. Son esprit analyse chaque détail, enregistre chacune des minuscules altérations qui font évoluer le contexte et, en toute occasion, il reste calme. Henri est un homme de sang-froid.

– Voulez-vous que je tranche ? reprend la voix.

– Non, je me porte garant du prestataire.

Il a appelé Mathilde ce matin de bonne heure. Encore un coup de canif dans le protocole, décidément, en ce moment, ça tangue pas mal dans la vie réglée du commandant.

« Non, non, tu ne me réveilles pas, allons, Henri ! »

Elle était heureuse de l'entendre. Surprise aussi.

« Un problème ? »

La question a chatouillé l'oreille d'Henri.

« D'après toi ? »

Ton sec, cassant.

Mathilde a laissé passer quelques secondes.

« Oui, oh, tu ne vas pas m'en faire une pendule ! »

Elle a adopté un ton rigolard. Bon Dieu, se dit-elle, j'ai fait une connerie, mais quoi ? Elle en rajoute :

« C'est quand même pas un drame, Henri, si ? »

Elle fouille dans sa mémoire, rien ne remonte. Le mieux, c'est de lui laisser l'initiative.

« J'exige un travail propre ! » dit le commandant, qui se rend compte qu'il répète mécaniquement les paroles de son supérieur.

Propre, qu'est-ce que ça veut dire ? Un court instant, tous deux semblent se poser la même question.

Mathilde pense qu'elle a raté quelque chose. Elle se risque :

« C'est un petit loupé, Henri, rien d'autre, ça ne se reproduira plus... »

Le commandant écoute la voix attentivement, tente d'en discerner la moindre nuance. Mathilde est réellement contrite. Lui accorder le bénéfice du doute ?

« Mais pourquoi tu as fait ça ? » demande-t-il enfin.

Mathilde sourit, la petite fatigue qu'elle perçoit dans sa voix signifie qu'il renonce à la sermonner. Ouf.

« Il y a des jours comme ça, Henri, ça arrive à tout le monde. »

Elle profite du petit silence pour ajouter :

« Tu ne m'appelles jamais, oui, je sais, je sais ! Le protocole… Mais bon, tu ne m'appelles jamais et la seule fois où tu le fais, c'est pour me faire des reproches, tu avoueras… »

Qu'est-ce que vous voulez dire à ça ? Il n'aurait pas dû appeler. C'est son tour d'être soudainement fatigué. Il a raccroché sans ajouter un mot.

– Bien, dit la voix au téléphone. Cela m'ennuierait de vous rappeler à ce sujet.

– J'entends bien, conclut le commandant.

Au retour, la route qui longe le Girou lui paraît beaucoup plus apaisée que lui-même.

Mathilde, elle, est descendue, elle a ouvert au chien, elle s'est fait du café. Ça la chagrine, cet appel. Qu'est-ce qu'Henri peut avoir à lui reprocher ? C'est peut-être pour le Desert Eagle… Il se demande si elle s'en est débarrassée comme elle le doit.

Elle sourit. Tu sais bien, Henri, que je passe toujours par un pont sur la Seine au retour ! Pourquoi voudrais-tu que je me mette à faire autrement ?

*

L'enquête fait partout les grands titres. Comme seuls quelques groupuscules totalement inconnus de la police ont revendiqué le crime, on oriente les investigations vers les relations de la victime. On retourne la vie de Maurice Quentin comme une chaussette et le pronostic de sa veuve se révèle d'une grande justesse. L'écheveau de ses affaires et de ses relations est étourdissant de complexité, la somme des opérations dans lesquelles il avait des intérêts ou dans lesquelles il est intervenu est proprement abyssale.

Le commissaire Occhipinti, d'abord persuadé qu'il tient enfin un dossier qui le mettra en orbite autour du ministère (objectif qui incarne son rêve de grandeur), ne tarde pas à être rejeté par toutes sortes d'experts qui ne s'expliquent jamais, à la marge d'investigations fiscales, fiduciaires, boursières, industrielles qui s'achèvent toutes au niveau politique.

Le meurtre a eu lieu en mai. À la veille des vacances, le commissaire Occhipinti n'a déjà plus qu'une hâte, être débarrassé de cette affaire qui sent assez mauvais.

Vassiliev, lui, a été expulsé dès la fin de la première semaine consacrée à des interrogatoires aussi épuisants que vains de nombre de collaborateurs, secrétaires, assistants, conseillers et adjoints du président Quentin. Les fonctionnaires qui le mettent sur la touche n'y vont pas par quatre chemins : il n'a pas la carrure. Il ne se plaint de rien.

Les services les plus secrets de la République agitent leurs réseaux et parviennent à la même conclusion que la police, à savoir qu'il s'agit d'un contrat et que personne n'aura sans doute le fin mot de cette histoire. Elle sera bientôt classée à côté du dossier des ministres de la République suicidés dans des conditions rocambolesques et des préfets assassinés en pleine rue dans des villes rongées par des mafias locales. Dans ce genre d'histoires, plus fréquentes qu'on le croit, il faut souvent attendre très longtemps avant de découvrir, par hasard, un indice quelconque permettant de remonter à l'auteur d'un contrat, ce qui ne se révèle pas très utile parce que la piste souvent s'arrête là, le commanditaire continuant de dormir du sommeil du juste. L'attention du grand public, bonne fille comme toujours, accepte l'ignorance comme elle accepte la surprise. D'autres urgences l'appellent. Platini va-t-il changer de club ? Stéphanie parviendra-t-elle à épouser l'élu de son cœur ?

Pour la presse, néanmoins, cette affaire reste embarrassante. D'un côté, on incline à s'en repaître (un grand patron assassiné, c'est comme un crime de lèse-majesté, on n'a pas envie de lâcher) ; de l'autre, on n'a rien à en dire. Ce genre de contingences n'a jamais arrêté un vrai journaliste, mais il est tout de même difficile d'entretenir des braises qui ne demandent qu'à s'éteindre. On titre plusieurs fois « La vérité sur l'affaire Quentin », mais sans grande conviction. Le bonhomme qui, de son vivant, n'était pas bien pratique se montre encore moins accommodant post mortem.

Vassiliev, ravi d'être hors course, lit toujours les papiers consacrés à Maurice Quentin parce que c'est un homme dont il a vu le cadavre. Malgré des années de pratique, il reste ému par ces choses-là, c'est un être sensible.

Il est alors loin d'imaginer que ce mystère reviendra bientôt frapper à sa porte et la somme de conséquences tragiques que ce retour entraînera.

5 septembre

La jeune femme est très nerveuse. Elle rit trop fort, trop facilement. Elle est très maigre. Constance. Elle a trente ans. Il y a quelque chose d'étrangement viril dans son comportement, que l'on trouve parfois chez les filles qui ont fait de la prison. L'employée de l'institution la regarde se débattre avec le capot de la voiture qui ferme mal. Nathan, lui, observe la scène sans manifester d'émotion, sans partager les rires et les mimiques de Constance. Il reste distant, presque froid, il a bourlingué dans pas mal d'institutions, il est rodé. Constance vient d'acheter le siège-auto, elle ne sait pas comment l'utiliser.

– Laissez, je vais vous aider, propose l'employée.

– Non, je vais le faire !

C'est une réponse empressée, brusque, presque déplaisante.

L'employée fait signe d'accord, allez-y…

Et ça n'est pas facile. Penchée sur la banquette arrière, Constance tire la bande plastifiée, cherche le point d'attache, marmonne, essaye dans le sens inverse, rées-saye, c'est idiot bien sûr, mais si elle ne sait pas faire ça, c'est qu'elle est une mauvaise mère. C'est ce qu'elle ressent déjà pour une foule d'autres choses, presque tout à dire vrai, parce qu'elle n'a pas eu le temps d'apprendre. C'est paradoxal, il y a près de cinq ans qu'elle attend ce moment-là et elle n'a rien pu faire pour se préparer. Il faut dire qu'il s'en est passé des choses. Tandis qu'elle s'échine à enclencher le fond du siège dans les encoches en acier de la banquette, Nathan ne voit que ses fesses serrées dans ce pantalon à motifs et il l'entend murmurer des injures. Constance se retourne soudain pour s'excuser du regard auprès de l'employée, elle en profite pour sourire à l'enfant qui, les bras ballants, attend derrière elle. Au bout de sa main droite pendouille une figurine flambant neuve de Goldorak dont il ne sait pas quoi faire. Il ne répond pas à la sollicitation, la fixe avec une distance qui ressemble à de l'indifférence. Ou à de la rancune, Constance ne sait pas, mais ce n'est pas amical. Elle revient à sa tâche, ébranlée par la froideur de l'enfant, c'est normal, ils ne se connaissent pas encore.

Nathan lui a été retiré lorsqu'il avait six mois, Constance avait frappé l'inspectrice de la DDASS qui venait vérifier leurs conditions de vie. Neuf jours d'arrêt de travail. Comme il est né de père inconnu, que Constance avait déjà fait un peu de prison ici et là, les autorités ont pris le gosse sur-le-champ, pas moyen de le voir, elle a été déférée devant le juge, elle a supplié, mais son dossier était lourd, elle avait mis un chemisier à manches longues pour ne pas exhiber les veines bleues de ses bras, ça n'a trompé personne. Nathan a été confié à une première institution, puis à une famille d'accueil, elle n'a même pas eu le droit d'aller le voir, elle ne savait pas où il se trouvait. Pendant plus de six mois, elle a fait le siège de l'administration pour récupérer son fils. Elle faisait attention à tout, répondait aux questionnaires, aux interrogatoires, allait aux rendez-vous, se pliait aux analyses d'urine, de sang, c'était un jonglage permanent parce qu'elle n'avait pas réussi à décrocher. À l'époque, elle habitait avec Samos, elle n'a jamais su comment il s'appelait réellement. Puis il y a eu le casse de la pharmacie de la rue Louvenne, elle en a pris pour cinq ans. Curieusement, c'est ce qui lui a donné de la force. La présence de Nathan s'est mise à flotter au-dessus d'elle comme un nuage bienfaisant. Elle a réussi à décrocher grâce à lui, elle est parvenue à résister aux sollicitations souvent violentes des codétenues qui dealaient dans la prison. Ça n'était pas du tout son truc, mais elle a choisi de coucher avec Mona, la patronne de la taule, grâce à laquelle elle a gagné une paix relative. Elle recevait sporadiquement des nouvelles de Nathan, parfois une photo, tout la faisait pleurer. La grosse Mona s'en est émue, elle a fait croire qu'elles étaient toujours ensemble, mais n'a plus rien réclamé d'elle, elles sont devenues assez copines, autant qu'on peut l'être dans un endroit pareil. Libération conditionnelle au bout de trois ans. Six mois de mise à l'épreuve, sans aucune chance de récupérer Nathan. Elle est revenue en Seine-et-Marne, elle a dû changer deux fois de logement, elle a rencontré un type ou deux, mais malgré eux, elle n'a pas replongé. L'objectif unique de sa vie : montrer qu'elle méritait qu'on lui rende son fils. Elle a enfin trouvé un appartement dans ses prix avec une chambre pour le petit. Constance n'a aucun diplôme, alors elle a fait les marchés, des ménages, elle a refusé tout travail au noir, elle voulait des fiches de paie, des factures, des quittances, pouvoir tout prouver, rien d'illégal, rien, et c'est une tâche sacrément ardue quand on est au bas de l'échelle. Les inspecteurs sont venus voir les lieux, elle a montré la chambre, toute repeinte, avec le lit et tout, l'armoire, les vêtements et même des jeux. Il a fallu recommencer les analyses d'urine, les prises de sang, elle a fait tout ce qu'on réclamait d'elle, un bon petit soldat.

Ce qui l'a beaucoup aidée, c'est l'agence Hatzer, travail intérimaire. Mme Philippon. Émue par la situation, par la volonté de cette jeune femme. Les clientes étaient toutes très satisfaites. Il faut dire que Constance a mis dans son travail toute sa rage, tout son acharnement à récupérer Nathan, cette idée fixe.

Et ça a fini par payer.

Le juge a rendu son verdict.

Constance peut reprendre Nathan.

Elle sera soumise à des inspections, devra répondre à

des enquêtes, remplir de nouveaux questionnaires, supporter les visites-surprises, mais elle a le droit d'aller le chercher. De le garder avec elle.

Elle a apporté des fleurs à l'agence d'intérim, un petit bouquet pas cher, mais le geste a fait pleurer Mme Philippon qui avait acheté un jeu pour Nathan, elle a un petit-fils à peu près du même âge...

Constance persiste à essayer de fixer le siège-auto sous le double regard de l'employée et de l'enfant. Elle l'a acheté d'occasion, c'est assez cher ces choses-là. Elle se demande avec inquiétude si elle ne s'est pas fait avoir, si on ne lui a pas vendu un siège incomplet, il manque peut-être quelque chose et à cette idée que sans ce satané siège elle n'aura pas le droit de repartir avec Nathan, un malaise la saisit, une peur panique.

– Vous ne voulez vraiment pas... ? risque la dame.

Constance, à l'instant d'éclater en sanglots, s'écarte et la dame fait les choses très gentiment :

– Vous voyez, vous passez la lanière par-dessous et... Tenez, mettez la main ici, non, plus loin, allez-y, vous allez sentir le petit ergot, vous le sentez ? Alors vous enclenchez en appuyant, ça fait un clic, essayez.

Constance essaye et ça marche, elle est redevenue une bonne mère.

Elle adresse une grimace de complicité à Nathan qui ne bouge pas d'un cil. Il ne la connaît pas, cette fille, et il en a tellement vu, des gens de toutes sortes, il ne va pas se mettre à sourire pour rien, il faut un motif.

Dans le coffre où Constance a mis sa valise, il a vu un paquet enveloppé de papier cadeau. Il est certain que c'est pour lui et se demande quand elle va se décider à le lui donner. Dès son arrivée, elle lui a donné ce Goldorak, un truc qui ne l'a jamais intéressé, il n'a rien dit, mais il a hâte de s'en débarrasser. Si elle a eu autant d'intuition pour le paquet qui est dans le coffre, ça promet…

On l'assied sur le siège enfant, il se laisse faire. Constance ne sait pas ce qu'il faut dire.

– Merci pour…

L'employée est souriante.

– Pensez à lui mettre sa ceinture, dit-elle.

Bordel !

Constance replonge dans l'habitacle, saisit la ceinture, la passe devant Nathan, se retrouve penchée sur lui, c'est la première fois qu'ils sont si près l'un de l'autre. Ça ne dure qu'un très court instant et tous deux comprennent que c'est un moment clé, mais dont ils ne savent pas quoi faire. Constance voit, en gros plan, le visage de Nathan, ses yeux marron et gris, sa petite bouche, en haut du front la naissance des cheveux châtains, si fins… Il est tellement beau qu'elle prend peur. Nathan sent l'odeur de Constance, c'est un parfum qu'il ne connaît pas, un truc de fille, un peu sucré, qui lui plaît beaucoup, mais il ne le montre pas.

Le voyage ne s'est pas très bien passé. Près de trois cents kilomètres en voiture jusqu'à Melun.

– On va s'arrêter manger une pizza, tu veux ?

Mais Nathan préférerait un McDo. Elle parle de leur vie, de tout ce qu'ils vont faire, maintenant qu'ils sont ensemble de nouveau, pour toujours. Mais l'enfant ne s'exprime que pour critiquer : les bonbons qu'elle a achetés, les BD qu'elle a choisies… Lorsque, vers minuit, Constance arrive sur Paris, elle a les nerfs en pelote. Et elle se rend compte qu'elle a oublié de lui donner le cadeau, elle l'a laissé dans le coffre arrière.

Nathan, lui, n'a pensé qu'à ça pendant une bonne partie du trajet.

Quand ils arrivent à la maison, il dort profondément.

Constance se faisait une joie de leur première arrivée dans l'appartement, elle l'avait imaginé découvrant sa chambre, les meubles, les jouets, et il dort dans ses bras, abandonné. Il faudrait qu'il aille aux toilettes, qu'il se brosse les dents. S'il ne fait pas ça, c'est que je suis une mauvaise mère. Mais elle le déshabille, le glisse dans les draps sans qu'il reprenne conscience. Quel voyage épuisant ! D'un autre que lui, elle n'aurait pas supporté le dixième. Il y a eu des moments de tension, cette histoire de pizza, de hamburger, Constance s'en fait le reproche. Un enfant, ça se mérite… C'est ce que lui disait le juge quand elle demandait qu'on le lui rende.

Il est tard. Demain, ils ont une journée entière ensemble, elle a tout organisé, le cinéma, le pique-nique, mais elle doute de tout.

Elle débouche une bouteille de bordeaux. Elle est épuisée.

*

Vassiliev vient maintenant deux fois par semaine. M. de la Hosseray continue de lui dire « Tu ne viens pas bien souvent… ». Tevy rigole dans le creux de sa main. René, lui, s'excuse maladroitement. Cet été, la température est parfois montée très haut et Tevy a dû déployer des trésors d'ingéniosité pour aérer la maison, apporter de la fraîcheur à Monsieur qui, au demeurant, ne se plaint jamais de rien. « Nous allons beaucoup au parc, dit Tevy. Monsieur aime bien lire les nouvelles là-bas. » Vassiliev n'avait pas vu autant de journaux depuis longtemps chez Monsieur. Autrefois, son bureau en était surchargé, puis le goût lui était passé, c'est revenu.

Si Vassiliev prend un peu de recul, il est étonné de la place que la jeune infirmière occupe dans cet appartement. Tout montre sa présence, les nouveaux coussins, l'organisation de la chambre de Monsieur, mais aussi de nouvelles lampes (« On ne voyait rien dans ce salon, vous ne trouvez pas ? »). Et des gris-gris. C'est très discret, mais Tevy le reconnaît en riant, elle est extrêmement superstitieuse. Elle s'entoure de toutes sortes de porte-bonheur, c'est plus fort qu'elle. Ainsi les boîtes à bétel en forme d'oiseau, les coupes à offrandes dorées, les têtes de danseuse apsara ou les copies en céramique de la tête de l'Avalokiteśvara du temple de Plaosan sont venues phagocyter les bronzes du XIXe, les cendriers en albâtre et les gravures délicatement lestes de Monsieur. Ses croyances amusent René et distraient Monsieur. Par exemple, elle n'aime pas trop cet appartement. Non qu'il soit inconfortable, mais l'escalier a un nombre impair de marches, « ça fait entrer les fantômes dans la maison ». Elle en rit elle-même, mais ne s'empêche pas d'y croire. L'autre soir, René ne se souvient plus comment c'est arrivé dans la conversation, ce n'est certes pas lui qui en aurait parlé le premier, mais Tevy a assuré qu'un homme ne devait jamais coucher avec une femme dont le pubis serait rasé, « il est sûr d'aller vers de gros problèmes, oui… ». René a rougi, pas elle.

Quand il est question de l'affaire Maurice Quentin, Tevy assure qu'il ne serait sans doute pas mort s'il avait consenti aux tatouages sacrés sur le corps.

– Je ne suis pas certain qu'un tatouage soit une protection bien efficace contre un .44 Magnum, a risqué Vassiliev.

– Ça, René, vous n'en savez rien !

Il a demandé si elle avait songé à se protéger elle-même par un tatouage sacré. C'est elle qui a rougi, René ne savait plus où se mettre… Depuis, la présence d'un tatouage sacré quelque part sur le corps de Tevy le travaille pas mal. Il ne peut s'empêcher d'imaginer qu'il doit être placé dans un endroit secret et ça le perturbe considérablement.

Ils s'appellent par leurs prénoms, mais ils se vouvoient.

Ils ont parlé de Maurice Quentin, non qu'il y ait du nouveau dans cette affaire, mais parce que M. de la Hosseray l'a rencontré autrefois.

– C'était au Jockey Club, lors d'un dîner, je ne sais plus à quelle occasion… Un drôle de bonhomme. Il a passé un temps infini à nous raconter une histoire de safari auquel il n'avait même pas participé…

La visite de Vassiliev obéit à un rituel qui doit beaucoup à Monsieur, mais aussi à Tevy. Tous deux sont très attentifs à la régularité, à l'habitude, au cérémonial. On papote en buvant quelque chose, on mange des nouilles ou de la soupe de légumes et après, on s'installe sur la grande table du salon et on joue au Nain jaune. Tevy gagne très souvent. René espère qu'elle triche, il ne cherche pas à le vérifier, mais ça lui plairait qu'elle triche. Quand ça ne se voit pas, il la laisse gagner, elle est contente, la victoire confirme ses croyances et ses superstitions.

Ce soir, Monsieur est revenu sur l'affaire Quentin.

– Il y a longtemps que je ne m'en occupe plus, a dit René.

– Encore une histoire enterrée, a décrété Monsieur.

«Enterrée», a répété Tevy. Elle note mentalement les expressions qui sont nouvelles pour elle, les répéter l'aide à les mémoriser. Ensuite, elle tâche de les réemployer, ça n'est pas toujours très heureux, René corrige avec des mimiques d'excuse, Tevy n'est jamais vexée.

Après la partie de Nain jaune, lorsque Monsieur s'est endormi, ils restent tous deux à papoter au salon, il arrive que René parte assez tard.

– Avec Monsieur, dit Vassiliev, vous connaissez cent pour cent de ma famille, mais vous ne me dites jamais rien de la vôtre…

– Ça n'est pas très intéressant.

Et comme René attend la suite, la jeune femme ajoute :

– Je veux dire, c'est assez classique… C'est une famille. Au Cambodge ou en France, c'est toujours un peu la même chose, non ?

Visiblement, elle n'a pas envie d'en parler, d'ailleurs elle change de sujet, reparle de Monsieur, revient sur la partie de Nain jaune de la soirée, ce qui fait penser à Vassiliev qu'il voulait proposer quelque chose.

– J'ai pensé…, dit-il. Peut-être que nous pourrions prendre une photo un de ces soirs, non ?

– Une photo ?

– Oui, pour garder un souvenir de ces moments avec Monsieur. Pour le moment où… Enfin, vous comprenez…

– Oh non ! répond Tevy.

Elle a eu l'air si outrée que Vassiliev se demande avec inquiétude ce qu'il a pu dire d'outrageant.

– Une photo à trois, ce n'est pas possible, ça porte malheur. Si on faisait ça, l'un des trois viendrait à mourir !

Tous deux pensent à la même chose – l'âge de Mon-

sieur – et un fou rire les gagne. C'était une bonne soirée. Elles sont toutes très agréables, sans compter que
deux fois par semaine René mange autre chose que des
conserves ou des surgelés.

Lorsque Tevy le raccompagne, Vassiliev se risque :

– Dites-moi, Tevy… Monsieur… il débloque ?

Et comme Tevy fronce les sourcils devant la nou-
veauté de l'expression, il met son index sur sa tempe.

Ce soir, à deux reprises, lorsqu'il est revenu sur
Maurice Quentin, Monsieur a dit, comme s'il venait
juste de s'en souvenir :

– Savez-vous que je l'ai rencontré autrefois, lors d'un
dîner au Jockey Club ? Il a passé un temps infini à nous
raconter une histoire de safari auquel il n'avait même
pas participé…

Tevy s'en souvient elle aussi. Elle ne dit pas à René
qu'elle a remarqué bien d'autres signes chez Monsieur.
Elle se contente de rire, toujours le creux de la main
contre sa bouche.

– Oui, parfois, il « débloque » un peu…

Quand ils se quittent, Vassiliev se penche, ils
s'embrassent sur la joue.

*

Depuis mai dernier, depuis la calamiteuse affaire
Quentin, Henri Latournelle reste préoccupé par
Mathilde. Bien sûr, il ne l'a pas rappelée, il est sans

nouvelles comme c'est souvent le cas, mais sans savoir pourquoi, cette fois, il s'inquiète. Il est normal qu'ils n'aient aucun contact, c'est la règle ; c'est le contact qui est l'exception. Ce qui le chagrine, c'est de ne pas savoir. Quelque chose ne va pas chez elle ? Qui rendrait le travail difficile ? Ce n'est évidemment pas seulement cette question, c'est aussi Mathilde tout court.

Il n'ose pas trop se l'avouer, mais tout cela lui coûte infiniment. À quel point l'a-t-il aimée ? Cette question redouble sa tristesse. Il l'a aimée très violemment. Mais toujours de loin.

1941. Mathilde a dix-neuf ans, elle est ravissante. Rien à voir avec le pot à tabac au visage dévasté qu'elle est devenue.

Elle est entrée dans la Résistance par Coudray, un camarade qui a été tué très vite. Henri, qui vient de créer le réseau Imogène, lui confie des petites missions, valises à porter, adresses à relever, messages à transmettre, elle fait ses preuves.

En 1941, en uniforme d'infirmière, elle prend toute sa place dans l'évasion réussie de trois camarades arrêtés par la Gestapo de Toulouse. C'est son sang-froid qui impressionne, rien ne lui fait peur.

Et arrive ce jour de 1942 où le réseau est en grande partie démantelé à cause de l'un de ces hasards malencontreux qui ne sont dus à personne, mais qui déciment les effectifs. Henri se souvient de cette journée fébrile où les rescapés doivent se mobiliser pour enrayer la brutale percée des renseignements allemands. Il s'agit de faire vite, très vite, de récupérer des documents, de prévenir des camarades, d'assurer des fuites, d'organiser des transports d'armes, d'informer des réseaux connexes, de veiller à l'étanchéité partout... Ce jour-là, Mathilde fait un miracle. Henri, totalement débordé, la charge de vérifier si un stock d'armes est ou non sous surveillance de la Gestapo. Il ne parviendra à reconstituer précisément les événements que plus tard, passé le gros de l'orage. Mathilde, sur place, repère la surveillance discrète effectuée à proximité du dépôt. Le risque est double : voir saisi tout le stock et être arrêté si l'on tente de le sauvegarder. Il y a une seule voiture. Les renseignements allemands s'organisent vite, mais les renforts nécessaires à un piège ne sont pas encore là. Mathilde appelle alors Roger, un brave type, gros bras de service, qui arrive aussi vite qu'il le peut dans son camion vide de fruits et légumes. Mathilde et lui chargent tout le stock en moins de vingt minutes. « Elle ne disait pas un mot, la petite, pas ça ! » raconta Roger, admiratif. Ils étaient repartis par la rue principale. Roger avait hésité à l'instant de s'y engager, la voiture de surveillance était toujours là. « Elle avait l'air sacrément sûre d'elle... » De fait, il ne se passe rien. « J'ai eu une de ces trouilles... » La voiture ne bouge pas. Ce n'est qu'une demi-heure plus tard que les renforts allemands arrivent et trouvent les deux agents chargés de la surveillance égorgés à l'avant de la voiture.

Henri n'a pas apprécié cette initiative. D'ailleurs les représailles ne traînent pas. Mais il doit convenir que le stock est sauvé. Il a toujours eu du mal avec cette comptabilité de la guerre. Mais depuis cet épisode, il regarde Mathilde autrement. Elle est pourtant la même, calme, peu bavarde, jolie, c'est fou ce qu'Henri a envie d'elle. Ils flirtent sans cesse, des doigts se touchent, mais il ne se passe rien. Henri voudrait connaître sa vie, mais ce qu'elle en dit est si peu de chose. Il n'arrive pas à superposer l'image de cette fille souple comme une fleur avec l'égorgement de deux hommes dans une voiture. Il n'a cessé de se poser la question, mais ne veut pas en parler avec elle, il a peur des réponses. Elle a dû monter à l'arrière, tuer le premier d'un coup de couteau dans la gorge et aussitôt égorger l'autre… Ou peut-être a-t-elle agi avec deux couteaux, un dans chaque main… A-t-elle joué de son charme pour les approcher ?

Après, c'était trop tard, d'autres choses sont intervenues, l'épisode Gerhardt… Un beau gars, aryen pure souche, sûr de soi, fanatique jusqu'au bout des ongles. « Laissez-moi faire… » Il était déjà dans un sale état et les camarades qui s'étaient occupés de lui avaient renoncé. « Laissez-moi faire… » Ils étaient dans une grange loin de tout, tout le monde devait rentrer, le projet était de se débarrasser de cet Allemand avant la nuit. « Laissez-moi faire… » La voix de Mathilde, ferme. Pas l'ombre d'une hésitation. Henri a été faible, il a accepté, exigé seulement qu'un homme armé reste avec

76

elle, c'était la condition. C'est Gilles qui est resté, son nom lui revient. Les autres sont rentrés, ils les ont laissés là, Gerhardt et Mathilde, en tête à tête. « Tu peux passer chez mes parents ? Qu'ils ne s'inquiètent pas inutilement... »

Henri est passé chez le Dr Gachet, c'est sa femme qu'il a vue, il les a tranquillisés, ils avaient confiance en lui.

Il a mal dormi. Le lendemain matin, il est arrivé en premier, dès l'aube, inquiet. Le camarade de garde sommeillait dans le foin à l'entrée du chemin, sa voiture l'a réveillé.

– Il est mort, a-t-il dit.

Il avait l'air sonné, la fatigue sans doute.

– Où est Mathilde ?

Il a désigné la grange là-bas, sans dire un mot. Henri s'est précipité, a ouvert la porte à la volée, Mathilde s'est réveillée.

– Tu m'as fait peur, a-t-elle dit en se levant.

Elle lissait sa jupe comme si elle sortait de table. Elle lui a tendu un papier, il a reconnu son écriture, vu des traces noirâtres sous ses ongles, il n'y avait pas l'eau là-bas, le puits était à sec depuis longtemps. « Tout est là », a-t-elle dit. Deux noms, une date, un lieu, une dizaine de mots. Il est allé au fond qui était éclairé par une ampoule au bout d'un fil accroché à la poutre. Près de la table, le sol est spongieux, la terre battue a épongé beaucoup de sang. D'ailleurs le soldat allongé est blanc, vidé comme un poisson. Henri a vomi. Tous les doigts des mains et des pieds étaient jetés en vrac dans le seau qui devait servir à la traite des vaches du temps que la ferme existait. Avec les yeux, les oreilles, les testicules et pas mal d'autres choses qu'il fut incapable d'identifier.

– Je suis crevée, tu peux demander à Gilles de me raccompagner ?

Elle est là, elle sourit, elle attend des félicitations ? Non, ça n'est pas ce qu'elle veut. Elle rassemble ses affaires, se retourne, fixe Henri. Et c'est ce visage maintenant qui va lui rester en tête, qui va s'interposer chaque fois que quelque chose sera sur le point de se produire entre eux. Ce n'est pas le visage d'une femme éprouvée, c'est celui d'une femme… satisfaite.

Henri rejoint Gilles dehors.

– Je me suis éloigné…

Il s'excuse :

– Je ne pouvais pas continuer d'entendre ça, tu comprends ?

– On y va ? demande Mathilde.

Gilles baisse les yeux et se dirige vers l'arrière de la grange où sa voiture est cachée. Mathilde pose un baiser sur sa joue, s'éloigne. Une silhouette à damner les saints.

Après, dans le groupe, plus rien n'a été comme avant.

Mathilde, c'était… Henri cherche le mot. Il en faut plusieurs quand on évoque Mathilde, celle de la guerre.

L'épisode des deux soldats égorgés avait passablement bouleversé les camarades, mais la nuit de Mathilde en compagnie de ce sous-officier acheva de tétaniser le réseau. À partir de ce moment, il y eut clairement ceux qui évitaient de travailler avec elle et ceux qui, au contraire, ne juraient que par elle. Elle était un fantôme et une égérie, une muse et un talisman, elle était une déesse et le diable. Ce qui a surpris Henri, ce fut de constater que beaucoup d'hommes eurent alors envie de cette femme-là. A-t-elle cédé à des avances ? Personne ne s'en est vanté.

Mathilde, personne ne savait qui elle était. Il n'y eut jamais d'autre Gerhardt, mais quand il fallait abattre des soldats, des collabos, elle était toujours là. C'était comme de droit. Avec une prédilection pour l'arme blanche. « Plus discret, plus silencieux », disait-elle. Quand il y avait du sang, il y avait Mathilde.

Et après...

1947, Mathilde épouse le Dr Perrin. Une belle cérémonie. Après quoi, Henri et elle se perdent de vue. Il reçoit un faire-part en 1951, à la naissance de Françoise. Ils doivent se voir à Limoges où elle enseigne le français et puis, ça ne se fait pas, c'est la vie. Ils sont ensemble en 1955 pour la remise de la médaille des mains du ministre.

Et ils se retrouvent cinq ans plus tard, à la mort du Dr Perrin. Il y a un monde fou, Henri est noyé dans la masse, mais Mathilde le repère de loin, elle vient jusqu'à lui, lui serre le bras comme à un vieux camarade. Mathilde en digne veuve est irrésistible. Henri calcule : elle a trente-huit ans. Elle n'a jamais été aussi belle, aussi attirante, le noir lui va à merveille. Pendant quelques semaines, Henri se demande s'il va ou non se déclarer. Y a-t-il quelqu'un dans sa vie ? Dix fois il décroche le téléphone pour l'appeler, prend un stylo pour lui écrire, mais renonce toujours. Mathilde, au fond, lui fait peur.

Henri voyage pas mal à cette époque-là. Il cherche et embauche des spécialistes qu'il appelle lui-même « la racaille », d'anciens baroudeurs, des légionnaires défroqués recyclés dans le crime rémunérateur, et c'est très difficile pour lui parce qu'un bon professionnel, c'est quasiment impossible à trouver, il y a toujours un défaut, peu de gens efficaces en qui on peut vraiment avoir confiance.

C'est en 1961 qu'il a l'idée. Il ne sait pas comment c'est venu, mais c'est une évidence. Un coup de génie. Quelle plus merveilleuse collaboratrice que cette veuve aisée à l'indiscutable passé de résistante ? Il l'approche, elle en a les larmes aux yeux. Première mission, parfaite. Le DRH est très content. Du coup, ils ne se voient quasiment plus, précaution élémentaire, cloisonnement, Mathilde comprend.

Ils se parlent de temps à autre depuis des cabines. Les missions s'enchaînent, trois par an, ou quatre, mais plus rarement. Dont quelques-unes à l'étranger.

Elle emmène parfois sa fille, Françoise, avec elle, la

laisse à la piscine de l'hôtel, va tirer une balle dans la tête d'une femme penchée pour chercher ses clés de voiture et revient toute pimpante avec des sacs de courses et de cadeaux à rapporter à Paris.

Ils se croisent trois fois en vingt ans. Henri met toujours ces rencontres sur le compte du hasard, comme si le hasard était pour quelque chose dans sa vie. Ils se voient à Paris en 1962 et en 1963, c'est une période compliquée, il faut régler de nouveaux protocoles. « On remet tout à plat », a dit le DRH. Ses représentants veulent voir tous les prestataires, ils reprennent les dossiers de tout le monde, il y a des gens qu'Henri ne reverra jamais, Mathilde, elle, passe comme une fleur… Ils se revoient en 1970. Mathilde est dans la cinquantaine triomphante, elle a toujours cette silhouette souple et cette manière de marcher qui n'appartient qu'à elle, la taille avance légèrement du côté de la jambe qui se tend, il y a quelque chose de liquide dans cette manière de se mouvoir. Ils dînent au Bristol. Mathilde est rayonnante. Elle est un mystère insondable pour Henri. L'avant-veille, elle était à Francfort, mission urgente, pas une seconde à perdre, le tarif a triplé, le client était aux abois, d'accord, quelqu'un va s'en occuper, et c'est Mathilde qui s'y colle. Elle est entrée dans une chambre d'hôtel, ils étaient trois, un homme, deux femmes, trois balles en trois secondes, moins de quatre minutes plus tard, elle est dehors, l'arme et le gant qui la tenait sont dans la poubelle de la réception.

– Eh bien, mais j'ai pris l'ascenseur ! dit-elle à Henri qui lui demande comment elle a pu quitter les lieux sans anicroche. Tu ne penses pas que j'allais descendre les quatre étages en talons aiguilles, tout de même !

Elle rit de bon cœur, elle est irrésistible. C'est le grand jour pour Henri. Jamais il n'a eu autant l'impression qu'il allait enfin se passer quelque chose, qu'ils allaient se dire… Et puis, rien du tout. Quand elle est montée dans le taxi pour rentrer, Henri s'est senti fondre. Il y a quinze ans de cela.

Et plus Mathilde vieillit, plus cette couverture se révèle parfaite.

Devenue forte et lente, la vue assez basse, transpirant aux premières chaleurs, conduisant à cinquante centimètres du pare-brise, elle a l'air de tout sauf de ce qu'elle est réellement.

Insoupçonnable.

Jusqu'à il y a peu de temps.

Alors la pensée d'Henri revient, comme un culbuto, sur cette affaire Quentin : est-ce un accident ? C'est ce qu'elle a soutenu avec des arguments assez vaseux. Ou est-ce une difficulté… plus structurelle ? Cette crainte le retient. Il va y avoir un nouveau contrat dans quelques jours. À Paris. Il hésite à le lui confier. C'est la première fois qu'il hésite.

*

Mathilde est rêveuse. Elle sort parfois un fauteuil de jardin, lorsque le temps le permet, et s'installe devant la porte de sa maison, sur la terrasse couverte. Comme une vieille, se dit-elle. Elle regarde les arbres du parc, l'allée rectiligne qui conduit à la grille d'entrée. Elle peut rester ainsi des heures entières, perdue dans ses pensées, à laisser tomber le soir. Qu'est-ce que je m'emmerde... Elle a une raison de plus de demeurer là, à ne rien faire : son malaise de l'après-midi. Tout le long du chemin, au retour de Paris, son visage lourd s'est brusquement animé de quelques tics irrépressibles et ses traits sont passés de l'agacement à la mélancolie, puis, sans transition, de la tristesse la plus accablée à une moue rigolarde, selon qu'elle repensait à Henri, ce cher Henri, au travail qu'il devrait bientôt lui confier (c'est long d'attendre comme ça, à ne rien faire) ou au laisser-aller de la maison qu'elle abandonne sans la ranger, c'est devenu un foutoir, je devrais me bouger un peu, mais bon... Elle a demandé une bonniche à l'agence de Melun. La bonne femme, cette conne, lui a fait détailler le travail.

– Le ménage, dans une maison, vous voyez de quoi je parle ?

Ça ne lui suffisait pas, il fallait des précisions.

– Vous avez déjà fait le ménage ? a demandé Mathilde. Eh bien, c'est la même chose que chez vous, mais chez moi...

C'est peut-être cette conversation qui lui a retourné les sangs. En quittant l'agence, elle était sur les nerfs.

La bonne femme lui avait noté l'adresse d'une fille qui n'habitait pas trop loin et qui cherchait du travail.

– Elle sait faire le ménage ?

– Tout le monde sait faire le ménage.

– C'est possible, avait dit Mathilde, mais il y en a qui savent, mais qui ne veulent pas le faire. C'est mon cas, par exemple. Et j'ai pas envie de tomber sur quelqu'un comme moi.

La bonne femme avait soupiré.

– C'est une jeune femme célibataire, qui a besoin de travail, très dévouée, vaillante…

Elle s'appelle Constance quelque chose. Mathilde ne se souvient pas de ce qui est convenu, si c'est elle qui doit appeler ou la fille…

Elle était encore énervée quand elle s'est arrêtée au parking du supermarché et c'est là que, brusquement, elle a été prise d'une immense fatigue. Ses jambes sont devenues toutes molles, soudain le cœur lui manquait.

Ce malaise l'a cueillie comme une fleur à la descente de sa voiture. Elle a regardé les gens, les chariots remplis qui sillonnaient les allées, mais les images qu'elle a reçues lui sont arrivées toutes déformées. Elle a dû se retenir quelques secondes à l'aile de sa voiture pour attendre que le malaise se dissipe. Alors, la tristesse a remplacé sa douleur au cœur, elle s'est dit qu'elle ferait les courses une autre fois, plus tard, qu'il valait mieux rentrer à la maison. L'intérieur de la voiture l'a rassurée, c'est un peu chez elle, elle a repris la route vers « La

Coustelle ». C'est le nom que son mari a voulu donner à leur propriété et qu'il tenait d'une autre maison où il avait passé une partie de son enfance. Mathilde à l'époque n'aimait pas ce nom, sans compter qu'elle trouvait agaçant ce besoin de se rattacher sans cesse à des souvenirs anciens. Elle avait cédé parce qu'au fond, ça n'avait pas d'importance. Sauf que maintenant ce nom qu'elle n'aime toujours pas, elle est quasiment la seule à le prononcer. Le Dr Perrin lui a laissé ça en héritage. Même sa fille l'utilise peu, elle ne raffole pas de cette maison, de toute manière, elle n'aime rien, son mari, c'est encore pire, lui, tout ce qui n'est pas américain...

Maintenant, fin de journée, Mathilde est assise sur son fauteuil à bascule, sur la terrasse. Ludo, couché à ses pieds, ronfle comme un sonneur.

Elle compte sur ses doigts. Quatre mois sans nouvelles d'Henri, il ne lui a rien confié. Bon, juin, juillet, août sont toujours plus creux, c'est une activité somme toute assez saisonnière... Non, ce n'est pas ça. Mathilde hoche la tête de droite et de gauche, non, le vrai, c'est que ça arrive toujours par grappes. Vous ne faites rien pendant trois mois et on vous en confie deux quasiment coup sur coup. Alors ça devrait arriver maintenant, en septembre quand même... Henri est-il fâché, voilà la question. A-t-il seulement fait semblant de ne pas l'être ? Elle ne se souvient pas très bien de la raison de son mécontentement, c'est déjà un peu loin, elle se rappelle seulement qu'il avait sa voix un peu pointue au téléphone. Pourquoi n'est-il pas venu la voir, d'abord ? Elle serait si contente de le retrouver, ce cher Henri. En ont-ils de beaux souvenirs en commun... Henri, ce fut le contraire de son mari. Son mari, elle ne l'a jamais désiré, ils ont fait les choses parce qu'il faut bien les faire, mais bon, outre qu'il s'y prenait comme un manche, c'était une question d'épiderme entre eux, ça ne collait pas. Ils se sont très bien entendus, sa mort l'a beaucoup peinée, comme celle d'un camarade de jeunesse. Tandis qu'Henri, elle l'a désiré très violemment. Dès qu'il lui serrait la main, elle sentait ce contact partout dans son corps. Elle ne le lui a jamais dit. Elle était fille de médecin, famille bourgeoise, on ne fait pas des confidences comme celles-ci à un homme. Et lui, à cause de sa position, forcément... Il était chef, il commandait, le commandant ! Il n'allait pas sauter les camarades du réseau entre deux explosions...

Et puis après la guerre, la vie a repris son cours...

Il pourrait tout de même comprendre qu'elle se morfond et lui donner un peu de travail !

Un ingrat, voilà ce que tu es, Henri !

– Madame Perrin ?

Je ne te demande pas la lune, seulement quelque chose à faire ! Me rendre utile ! Toi évidemment, tu voyages, tu donnes des ordres, tu en as de l'activité, tu pourrais te soucier des autres et surtout de ta vieille Mathilde ! Qui n'est pas si rouillée que tu le penses ! Qui pourrait encore te surprendre !

– Madame Perrin !

Mathilde lève la tête.

M. Lepoitevin, le voisin, cet imbécile. Sa maison n'est distante que d'une quarantaine de mètres sur la droite. Ils ne peuvent pas se voir à cause des haies qui les séparent, alors il vient lui rendre une visite de voisinage de temps à autre, au prétexte de lui apporter quelques légumes du jardin dont Mathilde n'a rien à faire, qu'elle reçoit avec amabilité et qu'elle balance à la poubelle à la première occasion, qu'est-ce qu'il veut que je fasse de deux kilos de courgettes, cette andouille…

Elle reconnaît sa silhouette à la grille, c'est un homme tassé, courtaud, du genre qui transpire, rien que sa main moite, Mathilde, ça la révulse. Elle lui fait signe de venir. Il pousse la grille dont la serrure ne marche plus depuis des lustres, il faudrait la faire réparer, mais il y a tant de choses à penser. Ludo se réveille, s'aperçoit d'une présence et se lève, déjà frétillant à la perspective d'aller au-devant de l'arrivant, c'est une bonne nature, pas le genre à servir de chien de garde.

– Ludo ! lance sèchement Mathilde.

Si elle le laisse faire, il va se précipiter vers Lepoitevin, lui lécher les mains, manquerait plus que ça. Ludo se recouche prudemment.

Mathilde regarde s'avancer le voisin portant son panier en osier, quelle plaie.

– Je ne vous dérange pas, au moins ?

– Je me reposais. Quelle belle soirée, n'est-ce pas ?

– Oui. Et pas de vent. Ce sont des salades, dit-il en posant le panier sur le sol de la terrasse.

Bah oui, je vois bien que ce ne sont pas des betteraves, quel con…

– Comme c'est gentil, dit-elle en souriant.

C'est un homme à moustache brune, cinquante ans peut-être, calme comme un retraité qui aurait devancé l'appel. Elle ne sait pas grand-chose de lui, elle s'en fout complètement.

Ils échangent quelques propos de saison.

Mathilde a envie de parler, mais pas avec Lepoitevin, c'est décourageant. Le temps qu'il fait, les plaisirs de la campagne, la joie d'avoir un chien… L'autre soir il s'est répandu sur un berger allemand qu'il a eu pendant treize ans. Il a détaillé sa paralysie, son incontinence. Quand il est arrivé à l'épisode où il est allé chez le vétérinaire pour le faire piquer, il en avait encore les larmes aux yeux, si c'est pour avoir ce genre de conversation, il peut aussi bien rester chez lui.

Mathilde supporte un long quart d'heure de fadaises, puis la fraîcheur commence à descendre, M. Lepoitevin décide qu'il est temps de rentrer.

– Vous ne m'en voulez pas si je ne vous raccompagne pas…, dit Mathilde.

Il adore ce genre de situation, qui permet de sourire, d'avoir l'air d'un galant homme qui comprend ces choses-là.

– Vous plaisantez, madame Perrin, pas du tout !

Il part d'un rire sonore.

– Dites, ça n'est pas comme si je ne connaissais pas le chemin !

Il disparaît derrière la grille avec un ultime geste de la main auquel Mathilde ne répond pas.

Je ne le sens pas, ce bonhomme... Elle n'a aucun grief contre lui, mais ce côté obséquieux, ça cache souvent quelque chose, un mauvais fond... Je vais me méfier de lui, décide-t-elle.

– Allez, on rentre.

Le chien ne se le fait pas dire deux fois. Mathilde est soudain parcourue par un frisson, elle est restée un peu trop longtemps dehors, c'est à cause de cet imbécile de Lepoitevin, il veut sa mort, c'est pas possible autrement.

Avant de monter, elle cherche ses lunettes. Elle a beau n'être pas une lectrice, si elle ne lit pas quatre lignes le soir, impossible de trouver le sommeil. Elle les trouve dans le tiroir de la commode. Avec un papier qu'elle déplie. Elle est prise d'une joie qui lui fait battre le cœur.

– Oh merci, Henri ! Tu es un chou ! Ah, quand même, tu te souviens de la vieille Mathilde, hein ?

Elle lit. C'est son écriture, mais elle ne se souvient pas de l'avoir écrit, et comme elle n'a pas le droit de prendre des notes, elle chasse cette idée. Elle est si émue qu'elle va s'asseoir dans le fauteuil. Là, elle allume la petite lampe du guéridon et relit : « Constance Manier, 12, boulevard Garibaldi. » C'est à Messin, un bled à côté de

Melun, quasiment la banlieue. C'est pour ça qu'Henri lui donne ce travail, parce que c'est près de chez elle, il ne veut pas faire venir quelqu'un de loin, à cause des frais sans doute…

Ah, ce qu'elle est contente…

– Ludo, viens ici…

Le chien s'approche doucement, elle lui flatte le crâne, alors il est en confiance et pose la tête sur ses genoux.

– Bon chien chien, ça… On va travailler, mon garçon. Henri nous confie une affaire. Depuis le temps, tu te rends compte ?

Soulagée. Cette fois, elle veut qu'Henri soit content, qu'il ne l'appelle pas ensuite pour lancer des remarques sibyllines, auxquelles on ne comprend rien.

– Hein, Ludo ? On va faire du bon travail.

6 septembre

Ce sont des bruits de bagarre qui la réveillent. Des tirs. Des armes. Elle saute du lit, le cœur battant, arrache la porte. Nathan est devant la TV. Les protagonistes s'étripent au fusil-mitrailleur. C'est plus fort qu'elle :

– Qu'est-ce que c'est que ce...

Elle retient le mot, mais pas le geste. Elle saisit la télécommande, le silence jaillit, Nathan la regarde. Elle dort en culotte et tee-shirt court. Indécent. Elle se précipite dans sa chambre, passe un pull long, c'est pire, c'est très sexy, mais elle ne veut pas s'y reprendre à trois fois, elle reste ainsi, debout, à le fixer.

– Avant d'allumer la TV, il faut demander !

– À qui ?

– À moi.

– Je m'ennuyais...

– Eh bien... Tu peux attendre un peu que je me lève, non ?

– Tu te lèves à quelle heure ?

Constance est prise d'un doute. Un regard à

l'horloge. Bon Dieu, il est dix heures et demie, elle n'a pas entendu le réveil ou quoi ? Il règne un silence réprobateur dans la pièce.

– Je t'ai acheté de quoi déjeuner…

Elle entre dans la cuisine, la boîte de céréales est restée sur la table. Nathan a déjeuné, il a lavé sa vaisselle, l'a essuyée, rangée, elle ne sait pas quoi dire. Il regarde ses jambes. Il faut faire quelque chose.

– Tu as fait ta toilette ? Viens, je vais te montrer.

Elle le conduit à la douche, explique où se trouvent le savon, les serviettes, elle sourit largement, elle a retrouvé son enthousiasme, mais voilà, elle est impressionnée par cet enfant.

– Ça va aller, dit-il pour la tranquilliser.

Elle referme la porte sur lui, respire un grand coup. Et voit la pluie battante sur les vitres. Elle a prévu le zoo et un pique-nique, quelle gourde.

*

Cette banlieue est une sorte de terrain vague planté de barres d'immeubles. Les pelouses y ressemblent à des pneus dégonflés. En journée, il y a beaucoup de voitures garées, les gens ont des voitures, mais pas de travail. Alors, ils les réparent, c'est leur occupation. Du coup, si l'on ajoute les dealers, il y a tout le temps du monde dehors qui n'a rien d'autre à faire que regarder qui arrive, qui part, qui stationne. Pour Mathilde, la surveillance est rendue compliquée. Surtout avec sa Renault 25 neuve, ça attire les regards. Elle s'est contentée de passer à la manière de quelqu'un qui s'est égaré. Elle a observé les alentours. Le seul poste d'observation discret, c'est une rue à l'angle du boulevard Garibaldi où habite la cible.

Il pleut depuis ce matin de bonne heure, il y a peu de monde dans les rues, c'est tranquille, il faut juste mettre la ventilation de temps en temps à cause de la buée.

Quelque chose chiffonne Mathilde. Elle n'en est pas à sa première mission, mais elle n'est encore jamais intervenue auprès d'une cible comme celle-ci. La Constance est une fille d'une trentaine d'années, maigre, sèche, à qui elle trouve des airs de lesbienne ; pourtant elle a un moutard, ça ne doit pas être ça.

Elle habite un HLM dans ce quartier de chômeurs, de boutiques fermées aux rideaux de fer tagués de haut en bas, de supérettes à prix cassés… Ça n'est pas du tout le genre de cible auquel elle a affaire ordinairement. En même temps, se dit-elle, tout le monde a le droit de mourir, pourquoi pas elle, mais elle n'a jamais pu s'empêcher, en suivant une cible, en cherchant le moment, l'angle, l'endroit, etc., de se demander pour quelle raison elle fait l'objet d'un contrat. Pour la Constance, ce doit être une histoire de drogue, de dealer, une histoire de cul peut-être.

En tout cas, on dépense, pour la supprimer, plus

d'argent qu'elle ne semble en avoir pour vivre pendant au moins six mois, il doit bien y avoir une raison.

*

La pluie fiche tout par terre. Elle n'a pas de plan B.

Par faiblesse (ça commence mal…), elle le laisse regarder la TV pendant qu'elle fait sa toilette, la matinée passe vite, la pluie ne s'est pas arrêtée.

Alors, tout à coup, elle a baissé les bras. Trop de pression.

À midi, elle lâche :

– J'avais prévu de pique-niquer dehors, après le zoo. Mais…

Tous deux ont regardé les vitres.

– On va manger ici, c'est tout.

Elle a apporté sur la table les sacs en papier avec les fruits, les sandwiches enroulés dans de l'aluminium, les paquets de chips, la maxi-bouteille de Coca, tout ça avec des gestes décidés. Et comme elle a cessé de vouloir plaire à Nathan, la proposition a été bien accueillie.

– C'est pas grave, a-t-il dit. De toute manière, moi, le zoo…

– Ah bon, toi aussi ?

Le papier alu n'était pas une bonne idée, le pain est mou, humide, c'est pénible à mâcher, quelle catastrophe…

Ils ont mangé face à face, échangeant des propos anodins. Malgré les sandwiches, tout allait bien mieux ainsi. Nathan a dévoré le paquet de chips. Elle le trouve très beau, elle en sourit.

– Pourquoi tu ris ?

– Parce que je me demande si tu vas me laisser des chips…

– Oh…

Il lui tend précipitamment ce qui reste du paquet, il est vraiment contrarié, il s'excuse. Se pose tout de même la question de ce qu'on fera de cette journée.

– Le cinéma, propose Constance.

Nathan se contente d'un signe de tête, d'accord. Dans l'édition du week-end du journal TV, il y a le programme des salles de la région.

– *L'histoire sans fin* ?

Nathan demande :

– Il n'y a pas *Gremlins* ?

Constance cherche dans la liste, non, pas en ce moment… Alors d'accord pour *L'histoire sans fin*, on verra bien.

– Bon, du coup, dit Constance, si on va au cinéma cet après-midi, je ferais bien d'aller acheter de quoi manger ce soir…

Elle se parle à elle-même, elle tourne en rond.

– Je ne vais pas t'emmener faire des courses sous la pluie.

Ça se voit qu'elle hésite. Nathan la regarde, interrogateur.

– C'est que te laisser là tout seul, tu vois… Ce n'est pas…

Elle veut dire « pas très régulier ». Laisse-t-on un enfant de cet âge seul dans un appartement ? La pluie continue de battre les vitres. L'emmène-t-on au super-marché à pied par un temps pareil ?

– Oh, je m'en fiche de rester là, la rassure Nathan. Sauf si je ne peux pas regarder la télé…

Ça les fait rire.

Au moment où elle quitte l'appartement, Nathan dit :

– C'était super le pique-nique…

Il a l'air sincère. Il semble vouloir ajouter quelque chose. Constance se sent à deux doigts de défaillir. Elle s'apprête à le serrer dans ses bras, mais elle renonce. Elle sait que ce n'est pas le moment, pas encore… Nathan va avoir besoin de temps, ça doit venir de lui… Il y a tant de raisons pour ne pas le faire, elle souffre tellement du désir de le prendre contre elle, il y a des semaines, des mois, des années qu'elle attend cet instant. Qui n'est pas encore venu. Elle en suffoque. Mais elle a peur de tout gâcher.

Elle se reprend, fait comme s'il avait dit quelque chose de banal, mais de gentil.

– Oui, c'était bien.

– Surtout les chips…

Ils se sourient.

Quand Constance aborde l'escalier, elle ressent une

euphorie comme elle n'en a pas connu depuis… Comme elle n'en a jamais connu.

*

Normalement, Mathilde aurait dû appeler les Fournitures. Elle a choisi de ne pas le faire. Il lui faut se débarrasser de sa quincaillerie. Dans la maison, il y a tout un tas d'armes, elle ne se souvient plus pour quelles raisons, mais elles n'ont pas fini dans la Seine. Elles sont là, dans des cartons, dans des tiroirs, il ne se passe jamais trois jours sans qu'elle tombe sur une nouvelle. Elle a opté pour un Wildey Magnum dont elle a dû se servir il y a deux ou trois ans, c'est une arme qu'elle aime bien, avec une jolie crosse en bois, parfaitement équilibrée. Le canon est long, c'est un peu volumineux, mais c'est un très bel objet, c'est sans doute pour cela qu'elle l'a conservé. Et c'est un gros calibre comme elle aime.

Elle se demande tout de même si cette cible, la Constance Manier, est la bonne.

Est-ce qu'elle ne devrait pas appeler Henri pour vérifier ?

Il y a quelque chose de bancal dans cette histoire…

En cas d'urgence, il y a un numéro où l'on peut laisser un message, Mathilde le connaît, Henri rappelle toujours très vite.

Elle actionne les essuie-glaces, fouille dans ses poches

à la recherche du papier, le retrouve, chiffonné, elle déchiffre, non, ça semble bien ça.

Mathilde se sent dans un sacré embarras. Elle n'arrive pas à croire quelque chose que pourtant elle sait vrai. Indiscutable. Sa cible est clairement identifiée, mais un doute persistant l'étreint.

À cet instant précis, la fille apparaît, là-bas, au bout de la rue.

Elle porte un imperméable en nylon, quelque chose de très léger qu'elle serre contre elle parce qu'il n'y a pas que la pluie qui dégringole à torrents, il y a aussi du vent.

Mathilde n'hésite pas un quart de seconde.

Elle s'extrait de la voiture, fait rapidement le tour, elle est déjà trempée jusqu'aux os. Elle ouvre la portière passager, se penche, fouille dans la boîte à gants. Le temps de se relever, la jeune femme arrive à sa hauteur, mais elle marche vite, la tête baissée. Elle s'écarte légèrement pour éviter la portière ouverte, lève soudain le regard vers cette femme âgée, lourde, qui n'a rien pour se protéger de la pluie, mais elle est arrêtée net par la vision du pistolet dont le canon lui semble incroyablement long. Elle n'aura pas le temps de s'interroger davantage.

Mathilde lui tire une balle dans le cœur quasiment à bout touchant.

Les cheveux plaqués sur le front par la pluie, les vêtements collés à la peau, Mathilde remonte en voiture.

Moins de trente secondes plus tard, elle a démarré.

Quelqu'un, du bout de la rue, arrive en courant en se protégeant la tête avec un journal et pousse un hurlement en apercevant le corps allongé sur le trottoir et le sang qui dévale jusqu'au caniveau…

Mathilde emprunte la rue principale, direction La Coustelle. Elle essuie la buée sur le pare-brise du revers de la main.

– Qu'est-ce que c'est chiant, cette pluie…

8 septembre

Avant de quitter le bureau, Vassiliev rouvre le mince dossier consacré à la famille Tan. C'est le nom de Tevy. Derrière sa réticence à parler de ses proches, il n'a pas seulement senti de la pudeur, il y avait aussi de la confusion. Que sait-il d'elle, au fond, hormis qu'elle est infirmière, garde-malade, qu'elle demeure du côté de la porte de la Chapelle et qu'elle possède une Ami 6 antédiluvienne ?

Alors il a fait remonter des éléments depuis les services de l'immigration.

Si Tevy est présente sous la forme de données purement administratives (arrivée en France, demande d'équivalences de diplômes, inscription à l'université, etc.), ses deux frères, eux, sont bien connus des services de police. Des jumeaux nés en 1958, plusieurs fois appréhendés. Ils dirigeaient un réseau de trafic de drogue assez limité, mais depuis deux ans, ils se sont aussi lancés dans la prostitution. Des petits caïds endurcis par leur itinéraire d'immigrés, avides de trouver leur place au soleil.

Vassiliev comprend que Tevy n'ait pas eu très envie de parler d'eux à René le flic…

Lorsqu'il arrive à Neuilly, Vassiliev jette toujours un regard à l'Ami 6 de Tevy garée devant l'immeuble. La carrosserie, fatiguée, est devenue mate, tout en elle respire l'antiquité. Un bouddha fluorescent est accroché au rétroviseur et les sièges avant et arrière sont recouverts de tissus asiatiques. Cette voiture ressemble à un autel votif.

– Votre Ami 6 a eu des mots avec un autobus ? demande-t-il lorsque Tevy le fait entrer.

– Ah ! Oui…

Elle le retient un instant.

– Vous n'allez pas disputer Monsieur, vous me promettez, hein !

René est un peu désorienté.

– Attendez !

Tevy est déjà repartie vers le salon, il doit la rattraper.

– Qu'est-ce qu'il a à voir avec ça ?

Tevy danse d'un pied sur l'autre puis elle se lance :

– Je ne vous en ai pas parlé parce que, bon… Il a voulu essayer.

– Essayer quoi ? De conduire la voiture ?

– Il m'a montré son permis !

– Qui remonte à quand ?

– 1931. C'est un peu ancien, c'est vrai. Mais c'est légal !

– Il a conduit… où ? Dans la rue ?

– Eh bien, au début, dans les allées du parc.

– Là où les gosses jouent ?

Il est affolé.

– Oui, mais pendant les horaires scolaires ! Et j'avais toujours la main sur le frein. Un petit écart, et hop, je freinais !

Elle baisse la voix, se penche vers son épaule :

– Je peux vous le dire à vous, au début c'était catastrophique…

– Au début… Attendez… Il conduit encore ?

– Il a fait de gros progrès. Je voulais vous réserver la surprise, qu'il nous emmène un jour quelque part, mais…

Vassiliev attend la suite.

– Il n'est franchement pas mûr, je ne sais pas s'il pourrait traverser la ville au volant, ça me semble bien… téméraire.

Vassiliev en reste bouche bée.

– Et il a eu un accident ?

– Non ! Il a juste accroché un plot en béton, au coin de la rue, rien de grave, vous n'allez pas le disputer pour ça. Il a remboursé la réparation, je dois juste trouver un moment pour amener la voiture au garage, c'est tout…

Vassiliev a vraiment besoin de s'expliquer avec Tevy, mais elle est déjà repartie.

Même Monsieur s'est rendu compte que René venait

plus souvent et il a cessé de relever la rareté de ses visites. Il se contente d'un « Ah, c'est toi, mon petit René, ça me fait plaisir… ».

Les activités de Tevy et de Monsieur inquiètent d'autant plus René qu'il a le sentiment que les choses se dégradent. Pendant le repas (asiatique, on ne mange que ça ici), il est de nouveau question de Maurice Quentin parce qu'un sujet lui est consacré au journal TV du soir.

– M'a l'air d'avoir été un drôle de particulier, celui-là…

L'épisode du Jockey Club semble avoir totalement disparu de son esprit, et même le nom de Maurice Quentin…

Ensuite, pendant les parties de Nain jaune, Monsieur peut passer deux tours sans rien mettre à la banque ou le faire deux fois de suite dans le même tour. Ce n'est pas grand-chose, mais ces oublis peuvent gagner du terrain. Au début, René sourit à Tevy, qui a remarqué, elle aussi. Après, il ne sourit plus, il tâche seulement de jouer avec entrain, mais il est inquiet et cela se voit. On regarde le journal TV de la fin de soirée et, lorsque Monsieur s'endort, c'est Tevy qui prend l'initiative :

– Oui, il débloque un peu plus qu'avant. C'est pour ça que je le laisse encore conduire la voiture. Dans peu de temps, tout ça ne sera peut-être plus possible…

Vassiliev comprend.

– Il y a d'autres choses, n'est-ce pas ?

Tevy fait oui de la tête, mais elle est tenue par le

secret professionnel. De toute manière, René n'a pas envie d'en savoir trop. Et puis, il se sent hanté par une pensée incidente dont il ne sait pas quoi faire.

Se verraient-ils encore, Tevy et lui, si Monsieur venait à disparaître ?

*

Divine surprise : des nouvelles d'Henri !

En fait, surprise, pas tant que ça ! Le contrat sur la Constance s'est parfaitement déroulé, en un temps record, et Henri doit être très satisfait. Du coup, il lui redonne du travail !

C'est une carte postale de Paris, en provenance de Paris. La tour Eiffel. Pas de texte, pas de signature, juste un timbre et un cachet datant de la veille.

Mathilde revient de la boîte aux lettres, qui est située près de la grille, et remonte la longue allée vers la terrasse, ce qu'elle est contente ! De travailler, bien sûr, tout le monde aime travailler, mais surtout d'être certaine qu'Henri ne lui en veut plus.

M. Lepoitevin passe ses journées dans son potager, près de la haie, elle l'entend crier au passage, « Bonjour, madame Perrin ! ». Elle se méfie de ce type comme de la peste, mais aujourd'hui, elle se sent guillerette, alors, « Bonjour, monsieur Lepoitevin ! », voix claire, enjouée...

Ludo l'a accompagnée, il gambade près de la haie. La présence de M. Lepoitevin l'attire. Est-ce qu'il lui donne des trucs à manger quand je ne suis pas là ? se demande-t-elle. Quel genre de trucs ? Elle s'est arrêtée en route, fixe la haie. Ce voisin n'est pas clair, pas net, depuis le début, elle ne le sent pas.

– Ludo, viens par ici.

Elle poursuit son chemin vers la terrasse.

Une carte postale veut dire qu'elle doit se rendre demain midi dans une cabine téléphonique. Il y a cinq cartes : un monument, des personnages, une rue ou une avenue, une image rétro genre sépia ou un montage avec plusieurs images de différents sites. À chaque motif de carte est assignée une cabine autour de chez Mathilde.

Elle s'arrête soudain. Un monument, quelle cabine est-ce ?

Dans laquelle est-elle allée pour le type de l'avenue Foch ? Et pour la Constance ? Ça lui est sorti de la tête, ça va revenir.

Mais ça ne revient pas. La journée se passe en interrogations. Elle a fait la liste des cinq cabines, impossible de retrouver la concordance avec les cartes postales, ça ne remonte pas. Au début, elle s'est inquiétée, est-ce que je perds la mémoire ? Mais non, c'est idiot, c'est simplement qu'elle n'a pas travaillé pendant longtemps, qu'elle a eu à honorer un contrat assez éprouvant (cette course vers l'avenue Foch, ce stress…), n'importe qui, à sa place, serait dans le même état, non, ce n'est pas ça. La soirée arrive, puis la nuit. Elle s'endort, se réveille avec des angoisses de monuments de Paris, elle a posé la liste des cabines près d'elle, tout se mélange, elle éteint, mais une heure plus tard, elle rallume, se tourne et se retourne.

Au matin, épuisée, elle prend son café dans la cuisine.

– Fous-moi la paix, toi !

Ludo va se recoucher prudemment dans son panier, elle n'a pas pensé à lui ouvrir la porte pour qu'il aille faire ses besoins, c'est risqué, il gémit.

– Tais-toi !

Mathilde se concentre.

C'est évidemment inutile, après la nuit qu'elle a passée, elle est incapable d'aligner deux idées.

Ludo couine.

– Ta gueule !

Normalement, elle doit être à la cabine à midi, trouver derrière l'appareil un papier avec les coordonnées de la cible, les mémoriser, déchirer le billet, le reposer, et c'est tout. Si elle ne peut pas s'y rendre à midi, le rendez-vous de rattrapage est à dix-huit heures, dans la même cabine. Si elle n'y est pas passée, que le papier est resté intact, la mission est annulée, c'est-à-dire qu'elle passe à quelqu'un d'autre.

Ludo s'est levé, il couine près de la porte, Mathilde, ça l'agace, ce chien l'énerve !

– Tu m'énerves, tu comprends ça ?

Elle s'approche de lui, il fait deux pas en arrière, la tête basse.

– Bon, allez, fous-moi la paix !

Elle lui ouvre la porte, le chien se faufile aussitôt et court pisser dans le gazon, Mathilde est restée dans ses pensées. Les cabines sont assez éloignées les unes des autres. Elle regarde sur la carte. Leur emplacement dessine un large carré dont sa maison est le centre, ça fait pas mal de kilomètres. Elle a échafaudé un plan : se rendre à la première cabine disons vers moins dix. Elle ne sait pas à quelle heure « le facteur » va déposer le papier, mais sans doute un peu avant midi. Moins dix semble raisonnable. Elle a calculé, en roulant vite, en vingt minutes elle peut avoir gagné la deuxième cabine. Dix minutes en avance pour la première, dix en retard pour la seconde, c'est jouable. En cas de mauvaise pioche, c'est fini. Elle devra se rendre au rendez-vous de rattrapage, recourir au même subterfuge, avec l'obligation de conduire vite, de risquer un accident…

Par où commencer ? Elle doit choisir deux cabines, lesquelles ?

À l'instant où elle monte en voiture, elle ne s'est toujours pas décidée.

Allez, Bastidière. À vingt kilomètres.

Elle passe devant à midi moins vingt, c'est trop tôt, si le « facteur » se trouve quelque part pour observer et récupérer le papier quand elle en aura pris connaissance, elle va compliquer la situation, elle fait le tour du village, s'éloigne, revient vers la cabine, il est midi moins dix. Elle descend, le cœur chaviré, prête à remonter en voiture et à rouler à fond de train vers… Elle a décroché le combiné, glissé la main derrière l'appareil et le papier est là ! Bonne pioche du premier coup ! C'est un signe du destin ! Merci, Henri, elle l'embrasserait. Elle glisse le papier dans sa poche, retourne à sa voiture, le déplie en fixant droit devant elle, fait mine de mémoriser les coordonnées, en réalité, elle les note sur son carnet sans regarder, à l'aveuglette, assez gros pour être certaine de pouvoir se relire. Enfin, elle reprend le papier, feint de vérifier qu'elle a bien tout en mémoire, ressort de la voiture, elle se sent guillerette, pour un peu elle sourirait aux anges. Elle entre dans la cabine, décroche le combiné, fait semblant de composer un numéro, d'attendre, pendant ce temps elle glisse le papier déchiré derrière l'appareil, raccroche et remonte en voiture.

Normalement, elle devrait ce soir appeler les Fournitures, mais elle a décidé d'utiliser ce qu'elle a sous la main, plutôt que de courir, ils déposent toujours ça loin de chez elle, dans des endroits impossibles.

De retour à la maison, elle cherche ce dont elle dispose. Tiens, le Desert Eagle, il ne doit pas avoir servi depuis longtemps et c'est un bel outil, qui fait du bon travail.

Sur la table de la cuisine, son carnet où, en grandes lettres tremblantes, elle a noté : « Béatrice Lavergne, 18, rue de la Croix, Paris XVe. »

*

La brigade de Melun n'a pas tous les jours un pareil meurtre à se mettre sous la dent. On s'écharpe ici comme ailleurs mais la délinquance est parquée dans des zones clairement circonscrites par des barres d'immeubles reconnaissables à un taux de chômage supérieur à la moyenne nationale et à une densité d'immigration qui permet aux autres quartiers de ne pas se sentir envahis, bref, un coin de France très ordinaire. On a donc des règlements de comptes entre bandes rivales, des bagarres entre dealers, mais une fille de trente ans qui se fait dessouder au .44 Magnum en pleine rue, c'est moins fréquent.

On a étalé sur la table les éléments dont on dispose.

Le commissaire, un grand type pas très loin de la retraite, regarde des photographies de la victime. Côte à côte, les images anthropométriques prises lors de sa première entrée en prison. Jolie, mince, on voit qu'elle a du caractère. D'autres, quelques années plus tard, elle ne s'est pas arrangée, on sent que la drogue est passée par là. Celles enfin de son corps sur le trottoir, ce sont de mauvaises photos. On avait bien tenté de protéger la scène par des bâches, mais il pleuvait tellement que le temps d'arriver sur place, de s'organiser… Avec ça le vent s'est mis de la partie, les protections ont été arrachées, les techniciens ont dû bâcler un peu, si on va au procès, ça va tanguer du côté de l'administration, mais on n'en est pas là.

Pour le moment, le vieux commissaire s'interroge sur l'arme. C'est du gros, du lourd, du pas fréquent. Et c'est tiré en plein cœur.

La fille avait ses papiers dans son sac, on a trouvé son gamin devant la TV, étonné de voir débarquer des flics en uniforme. C'est une jeune femme de la brigade qui s'est chargée de lui, qui l'a emmené, qui lui a expliqué, le môme s'est mis à pleurer, il a été confié à la DDASS, il va retourner en institution, il venait juste d'en sortir… Qu'est-ce que cette Constance avait fait pour qu'on l'abatte ainsi en pleine rue ? Est-ce un message, mais à qui ? De la part de qui ? Elle était employée par une agence d'intérim dirigée par une Mme Philippon qui a fondu en larmes. Elle soutient que la fille s'était amendée, qu'elle avait décroché, y compris des relations malsaines, tout ce qu'elle voulait, c'était récupérer son gosse. Quelle histoire…

Il y a quelque chose qui ne tourne pas rond dans cette affaire.

Alors le commissaire range tout ça et donne l'ordre à son équipe de poursuivre les investigations et de lancer un appel à toutes les unités au sujet de la méthode et de l'arme : un gros calibre, droit au cœur, peut-être que ça dira quelque chose à un collègue, on ne sait jamais…

11 *septembre*

Mathilde emporte toujours ses outils avec elle, même pour les repérages. Pour la Constance, ça a été très utile : on repère et on fait le boulot dans la foulée. Ce n'est pas toujours aussi simple. Parfois, il faut filer la cible des jours et des jours et Mathilde n'aime pas trop ça. Elle est devenue impatiente avec l'âge, les choses doivent aller bon train. Quand le repérage demande du temps, plus de dix jours, il y a un protocole pour informer le DRH, c'est un peu compliqué et Mathilde n'est pas certaine de se souvenir de la manière de s'y prendre. Non pas qu'elle manque de mémoire, mais parce qu'il y a long-temps que ça n'est pas arrivé. L'avenue Foch, juste une semaine, du dimanche au dimanche. La Constance Machin, délai fulgurant, on comprend qu'Henri soit aux anges. Pour Lavergne, elle n'a pas l'intention de traîner non plus.

C'est une belle fille dans les vingt-quatre ans. Papa a les moyens. Sa manière détendue de marcher, de faire du shopping... Il y a de l'argent dans son sac, une carte bancaire Gold qu'elle sort à tout bout de champ. Elle habite un joli quartier.

Mathilde passe trois journées entières à la filer, à la guetter, à l'attendre. L'université n'a pas encore repris, alors la môme en profite. Piscine, shopping, jogging... À mon avis, elle ne prépare pas une thèse de doctorat.

C'est le repérage qui l'épuise, les heures d'attente, il faut tout noter, tout analyser, tout vérifier. Tous les jours, la fille va cavaler au bois de Boulogne. Elle laisse son Austin Cooper sur un parking, fait des échauffements, très attentive à ce que tout le monde voie bien qu'elle a un beau cul, après quoi elle va courir, ça dure deux bonnes heures. Mathilde ne peut pas aller reconnaître le parcours à la recherche d'un endroit propice, il va falloir s'y prendre autrement.

Elle juge la vie de Lavergne absolument sans intérêt. Elle ne sait pas qui lui en veut au point d'ordonner sa disparition, mais elle le comprend, cette fille est insupportable, une nuisible. On va lui faire passer le goût du pain.

Sauf qu'à la fin du deuxième jour, Mathilde n'a pas encore trouvé de solution, une habitude qui permettrait d'anticiper, un endroit pratique où se poster. Rien que de très habituel, ça n'est pas pour rien que le DRH donne un premier délai de dix jours pour intervenir... Mais, au matin du troisième jour, pour Mathilde, ça commence à bien faire. Elle a hâte d'achever cette mission et d'en avoir une autre plus intéressante. Tout en suivant la voiture de la fille dans les rues de Paris – on est dans le XVe arrondissement –, elle médite sur ce concept d'«affaire intéressante» lorsque la petite Austin pique soudain sur la rampe d'un parking de centre commercial. Mathilde, tous les sens en alerte, suit l'Austin jusqu'au deuxième sous-sol et freine quand elle la voit, loin devant, se ranger à une dizaine de mètres de la sortie réservée aux piétons et conduisant aux escaliers et aux ascenseurs. Elle comprend immédiatement qu'elle tient là une occasion parfaite. Il n'est pas encore dix heures, le parking est très peu fréquenté. Dans quelques instants, dès qu'elle se sera garée, la fille va descendre et emprunter l'allée des voitures pour gagner la sortie. Mathilde va la cueillir à ce moment-là. Elle stationne à l'angle opposé, et personne ne vient lui demander d'avancer ou de se pousser. Dès qu'elle verra la fille, elle démarrera, avancera à sa rencontre et l'alignera avant qu'elle arrive à la porte de sortie. Elle attrape déjà son Desert Eagle, le cale entre ses cuisses, baisse la vitre électrique du côté passager par laquelle elle va tirer, puis se penche pour ouvrir la boîte à gants et y saisir le silencieux.

À partir de là, pour Mathilde, les choses vont aller très vite et se passer très mal. Parce qu'elle n'a pas bien évalué le temps nécessaire à la fille Lavergne pour descendre de voiture et gagner la sortie. Mathilde, elle, a toujours besoin de ranger ses lunettes, de rassembler ses affaires, d'aller mettre dans le coffre ce qui ne doit pas rester en vue dans l'habitacle, etc. La fille Lavergne, elle, a saisi son sac à main, claqué la porte de la voiture et, avant que Mathilde attrape le silencieux de son Desert Eagle, la voici qui marche d'un pas décidé au milieu de l'allée centrale.

Mathilde démarre aussitôt, première vitesse, à fond, ça fait rugir le moteur, la fille Lavergne regarde la voiture qui avance très vite, elle se rabat sur le côté, mais continue de la fixer.

Arrivée à sa hauteur, Mathilde pile, pas le temps d'attraper le silencieux.

La fille Lavergne, tétanisée en voyant cette femme tendre le bras et, à travers la portière passager, braquer sur elle un pistolet impressionnant qui lui semble gros comme un rouleau à pâtisserie, n'a pas le loisir de s'interroger plus longtemps, elle prend une décharge sous le bassin qui la propulse sur le ciment entre deux voitures. La détonation, terrible, se répercute sur les colonnes de béton, le plafond très bas accélère la circulation du bruit, on a l'impression que le parking est soulevé par un tremblement de terre.

Ce genre d'impact dans les parties génitales, ça fait très mal, on a les boyaux à l'air, aucune chance de s'en sortir, mais ça n'achève pas. Donc, Mathilde ouvre sa portière, s'arrache de sa place et, pistolet en main, fait le tour de la voiture pour venir achever le travail avec une seconde balle – dans la gorge –, dont le bruit vient s'ajouter à l'écho de la première qui n'est pas encore apaisé.

C'est à cet instant que retentit un hurlement.

Tellement strident, suraigu, que même Mathilde en perd son sang-froid. Ça vient de là, sur sa droite, Mathilde se tourne, c'est une femme d'une cinquantaine d'années qui sort de sa voiture dans la travée d'à côté. Elle a assisté à la scène et réalise seulement ce qui s'est passé.

Elle fixe Mathilde, mais pas bien longtemps, parce que celle-ci lui tire aussitôt une balle en plein cœur.

La respiration courte, Mathilde remonte dans sa voiture, jette le pistolet sous son siège, fait hurler le moteur qu'elle n'a pas coupé, démarre dans un crissement de pneus, tourne sèchement sur sa droite pour aborder la rampe vers la sortie. La voiture gagne le premier sous-sol sans rencontrer d'autre véhicule. À cet instant, Mathilde ralentit, ferme ses vitres, elle est Mme veuve Perrin, soixante-trois ans, quittant le parking pour regagner son domicile.

*

Le diable, paraît-il, se cache dans les détails, mais à condition d'y croire. La chance aussi. Et la chance de la police, c'est que le gardien du parking de cette galerie commerciale est un homme d'ordre et de sang-froid. Il entend d'abord une explosion, puis une seconde et enfin une troisième. Pas de doute, ce sont des coups de feu. Alors qu'il s'apprête à fermer la barrière de sortie pour aller voir ce qui se passe, un jeune collègue l'appelle sur la ligne intérieure pour lui annoncer d'une voix essoufflée, impressionnée, qu'on vient d'assassiner une femme au second sous-sol. Le gardien presse un bouton, la sirène retentit. Il décroche son téléphone, compose le numéro de la police, puis il baisse la barrière de sortie devant les premières voitures dont les conducteurs, le voyant saisir son gros trousseau et disparaître en courant, n'ont pas le temps d'esquisser le moindre geste.

Dans cette file, il y a la voiture de Mathilde. Les deux conducteurs de devant ont ouvert leur portière, vous savez ce qui se passe ? Personne ne sait. Mathilde ouvre sa portière à son tour. Elle a entendu des explosions, non ? On aurait dit des bouteilles de gaz, c'est peu probable, dit quelqu'un, ça ressemble à des coups de fusil… De fusil ? hurle Mathilde, les yeux écarquillés.

Pendant ce temps le gardien emprunte en courant la descente bétonnée. Au second sous-sol, il découvre le corps d'une femme baignant dans son sang. Il y a déjà un peu de monde.

– Il y en a une autre ici ! hurle son collègue.

Le gardien s'avance et réprime un haut-le-cœur en découvrant une seconde femme dont le corps, la poitrine ouverte, presque traversée, est effondré entre deux voitures.

Il se précipite vers une armoire métallique marquée « Service ».

– Donne-moi un coup de main, hurle-t-il à son jeune collègue.

Il leur faut moins de deux minutes pour sortir des barrières métalliques en accordéon rouges et blanches qui servent d'ordinaire à délimiter les zones de travaux. Le gardien ordonne à son collègue de monter la garde, de ne laisser passer personne. « Sous aucun prétexte. » Cet homme-là sait ce qu'il fait. Il repart dans l'autre sens. Les coups de klaxon rageurs s'élèvent dans tout le parking, à tous les étages des voitures s'impatientent de l'impossibilité de circuler et même de sortir. Arrivé près de la barrière de sortie, il évalue mentalement à une vingtaine le nombre de véhicules qui attendent. La police va arriver. Il entre dans la guérite et reprend sa tâche là où il l'a laissée. Les automobilistes qui paient le stationnement l'interrogent, on demande ce qui s'est passé, des explosions on dirait, non ? Le gardien répond de manière évasive, il faut désencombrer la rampe d'accès au plus vite, c'est ça l'urgence…

La police met peu de temps à rejoindre le parking, mais le car et l'ambulance, eux, ont un peu de peine à parvenir sur les lieux, les voitures sont immobilisées dans les travées, ça klaxonne de partout. Sur place, les techniciens prennent des photos, on commence à interroger les gens…

*

L'ambulance ne va pas rester bien longtemps, ce n'est pas un travail pour elle, c'est la morgue qui va prendre la relève quand les constatations sur place seront achevées.

À l'instant où elle arrive à la hauteur du gardien pour payer son stationnement, Mathilde demande :

– Qu'est-ce qui se passe ?

– Il y a eu un meurtre au second sous-sol !

– Non ! Mais c'est affreux !

– Affreux, oui… Quatre cinquante, madame…

*

Lorsqu'il entre dans le bureau de Vassiliev en hurlant : « Amenez-vous, ça va saigner ! », Occhipinti est dans un état d'exaltation proche de l'extase. Dans l'enthousiasme, il s'enfourne deux poignées de noix de pécan. Depuis cinq mois qu'il est officiellement en charge de l'affaire Maurice Quentin, tout le monde lui est passé devant, quand ce n'est pas dessus : les services secrets, la chancellerie, le ministère de l'Intérieur, la justice, les politiques, les barbouzes, chacun y est allé de son intervention, de ses commentaires et a fini par le clouer au pilori pour son manque de résultats. Et voilà qu'il tient de nouveau un fil : une tuerie dans un parking du XVᵉ arrondissement. Même type d'arme de calibre surdimensionné que pour Quentin, même méthode (une balle au niveau du bassin, une autre dans la gorge), le juge pense que les ressemblances justifient que le service d'Occhipinti soit dépêché sur place.

Il ne leur faut pas vingt minutes pour gagner les lieux où les techniciens sont déjà à pied d'œuvre. Les événements se sont déroulés une heure et demie plus tôt, les corps viennent d'être évacués, mais, en attendant, devant les taches de sang qui imbibent le ciment, on leur tend des Polaroid qui montrent les deux victimes. Occhipinti avale une poignée de cacahuètes.

– Bon, soupire-t-il.

On ne sait pas s'il parle de la photo ou des cacahuètes.

Le juge le saisit par le coude, ils font quelques pas à l'écart de la valetaille.

Vassiliev entend « très sensible », « je peux me tromper », « aller vite ». La routine. Pendant ce temps, il prend du recul, tente de se faire une idée de la situation. Il commence par la jeune femme qui s'est écroulée près de l'accès piéton. À en juger d'après le cliché, c'est du très gros calibre et tiré à très faible distance. Il se retourne. Selon lui, le tireur était de l'autre côté de l'allée.

À quelques pas de là, c'est tout aussi sauvage. Les deux femmes étaient-elles ensemble ? Non, sans doute pas.

Vassiliev observe les abords où des policiers en

uniforme tâchent d'évacuer les curieux. Le plus probable est que le ou les tireurs soient venus à pied et repartis de même. Peut-être même en utilisant une sortie de secours qu'il suffit de pousser de l'intérieur. Venir en voiture dans un parking pour tuer deux personnes, c'est se mettre dans la seringue, n'être pas certain de pouvoir sortir, risquer de se trouver coincé là avec encore des armes qui seront trouvées si on fouille les véhicules.

Donc, selon lui, un ou deux tireurs, arrivés et revenus à pied.

Les sacs des deux femmes ont révélé leur identité. Béatrice Lavergne, vingt-trois ans, étudiante en droit. Raymonde Orseca, quarante-quatre ans, vendeuse dans un magasin de chaussures de la galerie commerciale. Tout porte à croire qu'elle s'est trouvée là par hasard. Vassiliev s'interroge sur la pertinence de venir assassiner une étudiante en droit dans le parking d'une zone commerciale.

Les collègues arrivés les premiers sur place ont procédé aux interrogatoires de routine, mais dans ce genre d'endroit par définition les gens entrent et sortent, l'information est insaisissable.

Vassiliev laisse le juge et le commissaire poursuivre leurs messes basses et remonte jusqu'à la cabine de péage. Là, des collègues en uniforme continuent de relever l'immatriculation des véhicules après leur passage à la caisse ainsi que l'identité des conducteurs.

Ça ne sert sans doute à rien, il vaudrait mieux qu'ils

se rendent utiles à autre chose, mais il n'a pas autorité pour le leur dire.

Il entre dans la cabine de péage où officie le gardien-chef. C'est un homme de cinquante ans, carré de partout, du visage, des épaules, des mains.

— Personne pour vous remplacer ? demande Vassiliev.

— Non, pas à cette heure-ci, mais je vous écoute.

L'inspecteur s'assied sur la seule chaise disponible, le gardien continue de prendre les tickets et de rendre la monnaie.

— Vous étiez où quand les détonations ont retenti ?

— Ici.

— Quelle heure était-il ?

— Dix heures deux. (« Vous n'avez pas un billet de dix ? ») L'heure est marquée sur les tickets, alors forcément…

— Quand vous êtes descendu, vous n'avez rien vu de particulier ?

— Des bagnoles, c'est tout. Dans un parking, c'est ce qu'on voit le plus… (« Six cinquante, madame, merci. »)

Vassiliev ne sait pas si c'est de l'humour.

— Vous aviez fermé les barrières ?

— Bien sûr !

S'il n'y a qu'un seul tireur, il n'est pas impossible, malgré le risque de se trouver enfermé ici, qu'il soit venu en voiture… et qu'il soit donc parmi les premiers à avoir quitté le parking. S'il a réussi à passer avant l'arrivée de la police, ce qui est plus que probable, on l'a perdu, totalement.

– Il n'y a pas de caméras de surveillance ici ?

– Il paraît que c'est trop cher. La direction trouve tout trop cher, même nos salaires. (« Huit soixante, merci. »)

– Pourquoi vous avez rouvert les barrières ? Vous ne pouviez pas attendre qu'on arrive ?

Cette fois le gardien s'interrompt dans sa tâche et se tourne vers l'inspecteur.

– Si je ne rouvre pas les barrières, la file des voitures va s'allonger dans les travées à tous les étages. Du coup, les rampes d'accès aux sorties vont être obstruées. Et du coup, certaines vont tenter de passer par les rampes d'entrée. Et s'y retrouver coincées, elles aussi. Et du coup, quand la police va arriver, tout le parking sera immobilisé et il faudra pas loin de deux heures pour désengorger tout ça, et du coup, les conducteurs, en attendant de pouvoir sortir, vont quitter leur bagnole et aller voir ce qui se passe. Et du coup…

– Ça va, ça va !

Le gardien lève une main, c'est comme vous voulez, et il reprend son boulot : « Neuf cinquante qui font dix, merci, madame. »

– Et du coup, lâche Vassiliev, il y a peut-être un tueur qui en a profité pour se barrer avant l'arrivée de la police.

– Si c'est le cas (« Neuf et dix, bonne journée, monsieur »), il est peut-être là.

Sans lâcher son ticket, il fait glisser vers Vassiliev une liste de véhicules avec la marque, le type, la couleur, l'immatriculation et des notes dans la dernière colonne, « nez », « carreaux », « touffe ».

Vassiliev est soufflé.

– C'est quoi, là ?

– Un trait distinctif quand il y en a (« Dix tout ronds, merci, madame »), un gros pif, des lunettes à grands carreaux, une coiffure à la con, ce genre de truc. Pour m'aider à me souvenir quand vous me convoquerez pour un tapissage. (« Huit, neuf et dix, bonne journée, monsieur. »)

Vassiliev parcourt la liste. « Grosse vioque », lit-il. Pas très aimable. Mais efficace.

– Merci, hasarde-t-il en quittant la guérite.

– Service…, répond le gardien. Neuf quatre-vingts, merci, madame.

*

Le 18, rue de la Croix est un immeuble ventru élevé à la fin du XIXe siècle. Sur la façade, des cariatides en pagne fondues dans la fumée noircie soutiennent des balcons chargés de pigeons. L'entrée est parfaitement encaustiquée. La loge de la concierge est là, à droite, ça sent la cuisine au beurre.

Vassiliev montre sa carte à une femme de cinquante ans ronde et proprette, manifestement ravie d'être de nouveau sollicitée. C'est fou ce qu'ils ont envie de parler, se dit-il en emboîtant lourdement le pas à la concierge.

– Quand j'ai appris ça à la radio, ça m'a toute retournée ! Si c'est pas un malheur, quand même… Une belle jeune fille comme ça. Et discrète, hein ! Jamais d'histoires ! Moi, je la voyais le matin, rarement le soir, je me couche de bonne heure, c'est qu'on en fait des heures, faut pas croire. Elle disait toujours un petit bonjour.

Comme Vassiliev ne répond pas, elle se demande si un garçon avec un air aussi con a jamais arrêté qui que ce soit. Elle ouvre tout de même la porte et annonce sur le ton d'un agent immobilier :

– Ici, vous avez le salon, la chambre est à droite. Très lumineuse et…

– Ça ira très bien comme ça, merci.

La concierge danse d'un pied sur l'autre, hésitant sur la jurisprudence à adopter, et finalement opte pour l'air pincé. Elle se dirige vers la porte en disant :

– Bon, eh bien, je ne veux pas déranger plus longtemps et…

– Merci, la coupe Vassiliev. Madame… ?

– Trousseau. Madeleine Trousseau, ajoute-t-elle en partant d'un rire sonore. Vous avouerez que pour une concierge…

– Désopilant, conclut Vassiliev.

Puis il ferme la porte le plus doucement possible. Et

prend une longue inspiration. Il règne dans l'appartement des morts récents un silence particulier, une immobilité lente et lourde qu'on ne rencontre que là et que peut-être on apporte avec soi. Il lui semble cynique, obscène, de pouvoir ainsi entrer comme ça chez une femme dont les morceaux reposent dans les réfrigérateurs de la morgue.

C'est vrai que l'appartement est clair. C'est rare dans les anciens immeubles, se dit-il, à commencer par le sien. Le salon dispose de trois fenêtres et Vassiliev comprend qu'on a réuni deux appartements en un. Le mobilier est contemporain, c'est-à-dire le contraire de moderne. Le salon, tendu d'un vert uni, s'harmonise proprement, mais sans génie, avec des meubles blancs et une moquette grège très clair. Les bibelots sont rares, mais choisis avec goût. Un goût cher. Vassiliev ouvre un placard près de la porte d'entrée et y trouve un imposant attirail de tenues de sport, shorts, maillots, chaussures, trainings, bandeaux et raquettes de tennis. Et pourtant, dans le parking, elle n'a pas couru assez vite…

Il s'avance jusqu'au mur de la bibliothèque et jette un coup d'œil sur les lectures de Mlle Lavergne. Troyat, Desforges, Cauvin, les mémoires de Jean Piat, une collection de France Loisirs. Il passe rapidement en revue la discothèque, Alain Souchon, des musiques de film. Il découvre, camouflé derrière une porte coulissante, un téléviseur couleur et le dernier numéro de *Télé 7 Jours*. À part cela des cendriers vides, des revues, une impressionnante collection d'apéritifs pour tous les goûts.

La chambre. Très féminine, avec des senteurs parfumées, des tiroirs remplis de sous-vêtements et, dans des sous-verres, des photos de David Hamilton. Vassiliev s'assied sur le lit, regarde un moment ce décor raffiné, soyeux, se lève, va à la salle de bains. Sans surprise. Des lotions, eaux de toilette, crèmes de beauté, produits moussants. Quelque chose ne va pas. Retour au salon. Il tourne et vire dans la pièce, les épaules voûtées, laisse son regard errer sur les murs, sur la collection d'éléphants en porcelaine alignés sur l'étagère de verre. Ce lieu est étrangement vide et impersonnel. Le ménage est fait à la perfection, rien ne manque. Dans la petite cuisine, équipée, tout le confort, il trouve de la vaisselle, des denrées de base, une série de tête-à-tête à différents motifs. C'est un peu comme ça qu'il s'imagine les suites dans certains hôtels de luxe dans lesquels il n'est jamais descendu. Avec le confort pour tout le monde destiné à ne déplaire à personne.

Il tombe sur des photos de la jeune fille, où elle est plus avenante que sur les Polaroid pris dans le parking.

Elle a un joli visage, des traits fins, une bouche admirablement dessinée, une série de dents blanches alignées au cordeau. Pas du tout l'idée qu'il se fait d'une étudiante en droit. D'ailleurs, où sont la bibliothèque, les Dalloz, le bureau, les fiches de travail ? Alors il retourne tout, ce qui lui prend une demi-heure. Enfin, voici des images qui ne sont pas destinées à illustrer une thèse de troisième cycle, des photos de Mlle Lavergne nue, dans une posture languide, la bouche entrouverte, les cuisses légèrement écartées, les seins dressés, et dans le coin en bas à gauche, en blanc sur noir, son prénom et un numéro de téléphone.

Vassiliev pose la série de photos. Il fait partie de ces gens chez qui la réflexion semble une activité artificielle, qui réclame de l'énergie et provoque des plis sur le visage. Il imagine la vie de cette fille, les rendez-vous, les précautions à prendre, l'argent qui circule, les clients… L'appartement semble prouver que la petite Lavergne était à son compte. Et à en juger par le luxe des lieux, sa clientèle devait se recruter dans les meilleurs milieux et ses services, valoir cher…

*

Mme Trousseau entend les pas de l'inspecteur et se retourne. Vraiment, il a l'air d'un grand con.

– Je peux aller refermer ?

– Vous pouvez.

Puis, sans avoir demandé la permission, il se pose lourdement sur une chaise et regarde la bignole. Ce sans-gêne, vraiment ! pense-t-elle, et ça se voit. Elle considère ce flic comme un vieux chien pelé. À cause de la calvitie sans doute.

– Chère madame, commence-t-il sur un ton très lent, vous connaissiez bien Mlle Lavergne…

– Oh, comme ça, je vous ai dit, je ne m'occupe pas des…

Mais elle s'interrompt en voyant l'inspecteur se déplier. Elle le trouve soudain très grand, le vieux clébard. Et pas si commode.

– Madame Trousseau, j'ai l'air un peu con, si, si, ne protestez pas, je sais que j'ai l'air con, mais je sais distinguer une pute d'une étudiante en droit.

La concierge arrondit les lèvres, elle est soudain prise d'un sursaut d'émotion qui lui fait monter des couleurs jusqu'à la racine des cheveux.

– Et je n'arrive pas à croire que le défilé, même sélectif, qu'une professionnelle produit inévitablement quand elle exerce à domicile, passe totalement inaperçu. Mon idée, c'est que les étrennes, pour vous, c'était tous les samedis. Mais je me trompe peut-être et dans ce cas, je m'excuse de vous avoir froissée.

Les couleurs de la concierge grimpent du rose pimpant au carmin souligné. Vassiliev est déjà à la porte.

– Et si je ne me trompe pas, vous viendrez nous raconter tout ça dans le détail au commissariat, d'accord ?

*

Grosse journée. Quelle histoire dans ce parking…

J'aurais dû m'y prendre autrement… C'est mon impatience, toujours. Je suis impulsive, voilà ce que je suis. Peut-être, Henri, que je m'emballe parfois un peu

128

vite, mais je fais le travail, tu ne peux pas dire le contraire ! Dans la sciure, la fille Lavergne ! Ça n'a pas fait un pli. Et je vais te donner mon avis, c'est pas plus mal parce que c'était une sacrée morue. Oh merde, le pont Sully ! Il faut y balancer le Desert Eagle ! Tant pis, j'irai demain ! Promis juré, Henri, mais là, je suis un peu fatiguée… Et tu as vu au péage du parking ? Je suis passée comme une fleur, hein ! C'était ça, ta grande idée : insoupçonnable, ta Mathilde ! Oui, je sais, il y a eu la bonne femme, elle m'a surprise, je reconnais, elle n'était pas prévue au programme, mais tu as entendu comme elle hurlait ! Tu as entendu, Henri ? Elle ne méritait pas qu'on la fasse baisser d'un ton ? Qu'est-ce que c'est que cette bonne femme qui se met à hurler dans les oreilles des gens, ça ne t'aurait pas donné envie de lui claquer le beignet, à toi ? Si, évidemment, c'est un réflexe normal que j'ai eu, tu ne vas pas m'en faire une pendule !

Mathilde a eu beau mettre le chauffage dans la voiture, elle a dû attraper froid, elle n'arrive pas à se réchauffer. Elle a hâte de prendre un bain.

Ça ne sera pas pour tout de suite. Le chien s'est ennuyé. Trois jours elle a dû le laisser dans le jardin et depuis le portail (il faut bien que je travaille, moi, on ne va pas me payer à rien faire, comme cet imbécile de Lepoitevin, je ne suis pas une retraitée de la fonction publ…, bon, si, un peu, mais ah, tu m'embrouilles,

Henri !), elle voit les trous dont le dalmatien a truffé la pelouse.

Ce n'est pas tant qu'elle y tienne à ce jardin, mais si on le laisse faire, en six mois, Ludo va transformer le parc en terrain de manœuvres. Mathilde est un peu colérique. D'autant qu'elle n'a qu'une envie, s'allonger dans la baignoire.

Avec la pluie de ces derniers jours, la boue, les flaques, Ludo était crotté comme un paysan… Il savait très bien qu'il avait fait des bêtises, c'est marrant les chiens, ça met la queue entre les pattes, ça baisse l'échine, les oreilles… Il s'est peureusement terré près de la porte de la maison. Mathilde s'est mise en rogne, elle a hurlé. Parfois, il n'y a que ça qu'ils comprennent, on ne peut pas être logique avec eux, ça ne sert à rien. L'effet positif de la colère, c'est que ça vous éloigne des morosités quotidiennes, c'est comme une parenthèse de vie dans l'océan des emmerdements. Maintenant, tout est terminé, le chien est allongé sous la haie. Il s'est caché la tête, il n'en mène pas large.

En se balançant dans son fauteuil alors que la nuit tombe, elle continue de s'en faire le reproche. Je suis vraiment soupe au lait… La pluie de la journée a lavé le ciel, la douceur est revenue, mais le temps va devenir plus regardant, nous sommes en septembre.

Je dois passer pont Sully. Ou ailleurs. Le Pont-Neuf ? Le Alexandre-III ? Bon, peu importe, ce qu'il faut, c'est faire les choses correctement.

Il va falloir trouver un jardinier pour combler tous ces trous. S'il ne fait pas trop froid, l'herbe aura repoussé avant l'hiver, rien de tragique.

– Madame Perrin !

Ah non, pas lui !

– Oui !

Elle le voit marcher dans l'allée avec ses bottes en caoutchouc, il va encore se lancer dans des considérations météorologiques, la pluie c'est bon pour le jardin, moi, dans mon potager…

– Mais vous ne venez jamais me voir, madame Perrin !

– Oui, dit Mathilde, je me promets toujours de le faire et puis vous savez ce que c'est…

Il lève une main, il sait ce que c'est !

– Ce sont des poires.

Mathilde trouve que c'est le fruit parfait pour ce crétin.

– Oh, des poires ? dit-elle, émerveillée.

Un plein panier, elles ont toutes des points noirs ; elle en tâte une, dure comme la pierre. Alors donc les fruits, la météo, le jardin. Et plus rien à se dire, comme d'habitude.

– Vous avez vu cette histoire, la semaine dernière à Messin ? demande Lepoitevin.

– Non, qu'est-ce qui s'est passé ? C'est tout moi, ça, je ne suis jamais au courant de rien ! Qu'est-il donc arrivé à Messin ?

– Une jeune femme, en pleine rue. Assassinée. Personne n'a rien vu. Affreux, paraît-il.

– Mais par qui ?

– On ne sait pas, madame Perrin ! On l'a retrouvée sur le trottoir près du boulevard Garibaldi, vous voyez où c'est ?

– Pas très bien…

– Peu importe. En tout cas, elle a pris plusieurs balles de fusil !

– Mon Dieu !

– Moi, je dis que c'est un règlement de comptes : drogue, prostitution, ce genre de choses, c'est devenu habituel. Mais enfin, madame Perrin, venir tuer les gens à deux pas de chez nous, est-ce que ça se fait ?

– Eh bien visiblement, oui, mon pauvre monsieur Lepoitevin.

Il est content d'être appelé par son nom. Revigoré, le voisin.

– Bon, c'est pas le tout…

Il se retourne, aperçoit Ludo toujours couché près de la haie.

– Lui, au moins, il s'en fait pas.

– Il est puni. Regardez…

Elle désigne la pelouse sur la droite. Lepoitevin, qui n'y avait pas prêté attention, découvre le spectacle.

– Mon Dieu !

Le jardin, c'est vraiment son truc, à Lepoitevin, alors des trous partout, ça le renverse, forcément.

– C'est lui qui a fait ça ? demande-t-il, encore sous le choc.

– Si c'est pas lui, c'est vous…

– Moi ? Ha ha ha ha ! Vous me faites marcher !

Il est gêné par la réponse de Mathilde. Il ne comprend pas pourquoi, mais cette plaisanterie le met mal à l'aise. D'autant qu'elle continue de le fixer sans rien dire. Il regarde à nouveau vers le chien.

– Si on les laissait faire…

Après quoi, il ne sait pas comment conclure, il fait un petit signe de la main et repart vers la grille. L'allée lui semble longue, on le voit à son pas lourd, un peu fuyant. Il se sent observé. Le regard de Mathilde, dans son dos, l'inquiète.

Une fois la grille refermée, Lepoitevin retourné chez lui, Mathilde se décide enfin, elle se lève en appuyant les deux mains sur les accoudoirs de la chaise à bascule.

– Allez, Ludo, on rentre !

Dans la pénombre, elle croit discerner son tressaillement à la limite de la haie, mais il ne se lève pas. Il boude, ça n'est pas la première fois, c'est dans son caractère, si tu imagines que je vais te supplier… Mathilde s'interroge : va-t-il faire de nouveau des trous dans le jardin si elle ne le fait pas rentrer ? Non, il dort dès que la nuit tombe et il ne se réveille qu'aux premières lueurs de l'aube.

Elle le regarde à nouveau par la porte vitrée. De là, elle ne voit que l'arrière-train du chien. Quelque part au fond d'elle-même, elle n'est pas surprise qu'il ne veuille pas rentrer, elle s'en doutait. Il est têtu, c'est ça les dal-matiens, obstinés à ne pas croire…

En réalité, le chien ne rentre pas parce que, enfoui sous la haie, il n'a plus sa tête. Elle est distante de plu-sieurs centimètres, seulement retenue par une cervicale ensanglantée qui n'a pas cédé au couteau de cuisine qui, lui, a fait le tour de la gorge et l'a découpée comme une tranche de pain de campagne.

12 septembre

Les choses vont vraiment de mal en pis et c'est bien de sa faute. Pourquoi a-t-il cédé et donné une nouvelle mission à Mathilde ? Au nom de quoi ? Ce serait un beau sujet à méditer, mais ce n'est pas le moment. Il se concentre sur les nouvelles émanant des radios.

Carnage dans le XVᵉ arrondissement de Paris.

Fusillade dans le parking d'un centre commercial.

Deux femmes tuées, dont la vendeuse d'un magasin de chaussures. L'autre s'appelle Béatrice Lavergne, étudiante en droit de vingt-trois ans.

Mais le scoop n'est pas là. Henri écoute attentivement, chaque phrase est un coup au cœur :

« Les deux femmes ont été tuées à bout portant par une arme de gros calibre, un .44 Magnum. Or, selon les experts de la police scientifique, cette arme, un Desert Eagle, est celle qui, en mai dernier, a servi à abattre le président Maurice Quentin. Quel rapport entre ces deux affaires ? Quelle relation peut-on établir entre cette jeune étudiante en droit et l'un des grands patrons français ?

Une histoire passionnelle ? Mais cette hypothèse ne répond pas à la question cruciale : qui a eu intérêt à abattre Maurice Quentin et Béatrice Lavergne à cinq mois de distance… ? »

Les nouvelles vont plus vite que lui.

Henri pourrait demander aux Fournitures quel matériel Mathilde a demandé, mais ce serait confirmer au DRH qu'il court après l'information, ce qui ne serait pas bon, d'autant que ce n'est déjà plus d'actualité… Trop tard.

Mathilde a sûrement ses raisons. Sa dernière mission a été un peu chaotique, certes, mais elle en a réussi tant d'autres…

Elle doit pouvoir fournir des explications, ce n'est pas possible autrement. Le DRH va se manifester très vite, exiger que Mathilde soit mise hors jeu.

Il doit absolument aller parler avec elle.

À l'instant de partir, il va chercher dans sa cache son pistolet, un Mauser HSc 7,65.

Henri est un classique.

*

Vassiliev achève de lire l'article qui rapproche les meurtres de Maurice Quentin et de Béatrice Lavergne.

Il ne se demande pas comment l'information a fuité des locaux de la police, il suffit de voir Occhipinti se dresser sur ses ergots en avalant des pistaches, la mine rageuse. On sent qu'il tient sa revanche. Chez lui, elle consiste toujours à faire chier le monde.

La une du journal montre Béatrice Lavergne. C'est l'un des clichés que Vassiliev a trouvés chez elle, ça attire bien le lecteur, ce genre de fille, quand ça vient à mourir.

La pluie est arrivée à Paris, il ne s'en rend compte qu'une fois sorti de son bureau. Il jette un regard bref sur le ciel bas. Il tient toujours le journal à la main, plié à la page deux, et il s'en sert pour se protéger la tête le temps d'aller jusqu'au métro. La pluie sur la Seine n'est pas sans poésie. Inexplicablement, peut-être parce que l'air reste assez doux, juste rafraîchi, il dépasse la station et continue de marcher le long de la Seine. Il a le cerveau rempli d'idées confuses. J'ai des serpents dans la tête, se dit-il. Il y pense au pluriel parce qu'il y en a plusieurs.

Le premier est un gros ver un peu paresseux du nom d'Occhipinti. Du genre à se tapir dans les coins, à se nourrir de toutes sortes de choses dégoûtantes. À faire ses coups en douce, à vouloir sa place au soleil pour continuer à lézarder. Sale bête, sale engeance. Qui le serrera au garrot dès qu'il n'aura plus besoin de lui.

En remuant la tête sous son journal trempé, Vassiliev pense à l'autre serpent, celui qui se mouille au-dessus de lui, sur la photo en une du quotidien, le ravissant petit serpent de la rue de la Croix aujourd'hui mort mais qui, auparavant, rampait dans l'escalier en ondulant de manière terriblement suggestive, qui montait son client vers le septième ciel des grands bourgeois, des industriels et de la prospérité sous l'œil maternel de la concierge Trousseau, quel bordel…

Pour l'heure, le petit serpent qui s'exhibait naguère, tout sourire, dans des poses érotiques, repose dans un tiroir réfrigéré de la morgue avec dans le corps des trous larges comme des ballons de foot, tandis que son image, multipliée, est livrée au regard fatigué de la France du soir et se détrempe au-dessus de la tête de ce grand chien mouillé de Vassiliev, qui marche sans se décider à entrer dans une station de métro.

Comme s'il allait à la rencontre de l'autre serpent qui, dans son trou, dans une chambre d'hôtel peut-être, fourbit son arsenal, son venin.

Vassiliev ne croit guère à la stratégie du commissaire Occhipinti consistant à faire exploser l'affaire aux yeux du grand public pour amener le serpent à sortir de son trou. S'il a livré l'information à la presse, c'est moins dans l'intérêt de l'enquête qu'avec le désir fantasmatique de reprendre la main dans une histoire où tout le monde s'est essuyé les pieds sur lui et à laquelle il continue de ne rien comprendre. Ce serpent tueur ne bougera que lorsqu'il en ressentira le besoin. C'est un reptile fourbe et puissant. Ce n'est pas la pluie ou la photo détrempée de Béatrice Lavergne qui le fera sortir et pointer sa langue acérée.

Il est lové quelque part, occupé à digérer sereinement,

attendant l'heure de se montrer de nouveau, guettant la fin de l'averse.

Et quand il sortira, ça fera encore un titre dans le journal et un grand trou dans le ventre de quelqu'un. Parce qu'il a de drôles de manières, ce serpent majuscule, il nourrit une aversion toute particulière pour les petits serpents de l'entrejambe, il vous jette son venin juste là, exprès, c'est un gros serpent qui n'aime pas les petits. Pas du tout le genre à vous coller une balle au milieu du front, non, le vrai serpent vous balance deux balles dans le centre de gravité, que vous soyez un homme ou une femme, c'est pareil. Il faudrait un psychiatre.

Vassiliev hoche la tête sous son journal, dubitatif. Il imagine les professionnels assermentés dressant le portrait du crotale en tueur à fort calibre, expliquant cette désastreuse tendance à couper les gens par le milieu, graves problèmes sexuels, enfance difficile, quelqu'un de mal dans son sexe, qui se détruit par délégation. Tout ça pourrait être vrai, mais ne l'aide guère. Vassiliev a jeté le journal trempé dans la poubelle, étonné de s'être enfin décidé à entrer dans le métro. Des serpents plein la tête qui sont autant d'envoyés de l'au-delà.

À cet instant précis, Vassiliev ressent au fond de lui quelque chose du terrible silence de M. de la Hosseray entre les parties de Nain jaune, lorsque, en fin de soirée, il se dirige vers sa chambre, son lit. Et il revoit, au moment de tendre le front au baiser de ses lèvres froides, ce vieil homme au teint pâle qui attend sans impatience qu'un autre serpent, majuscule lui aussi, lui passe autour du cou le nœud de son corps froid et définitif.

Comme on voit, Vassiliev n'a pas le moral. C'est surtout un trop-plein d'émotions tristes, un immense sentiment de gâchis. Il se sent malheureux de constater, impuissant, que tout glisse et rampe sournoisement, il ne sait pas d'où cela vient, cette impression que s'achèvent des choses qu'il n'a même pas vues commencer.

À côté de lui, le sein plié en deux de Béatrice Lavergne sur le journal froissé d'un voyageur absorbé par les mots croisés. Sur les murs du métro, les publicitaires exhibent des palanquées de Béatrice heureuses de leur déodorant, de leurs revues féminines, de leurs sous-vêtements et des promotions du BHV.

*

Madame Veuve allume une cigarette.

Elle connaît déjà le physique de la jeune morte qui a fait la une de tous les journaux, mais c'est la procédure, il doit la lui remontrer.

Alors, il sort de sa poche intérieure une photo. Béatrice Lavergne, avec les cuisses écartées, les mains sous les seins. Il aurait pu avoir la délicatesse de masquer le bas pour ne montrer que le visage mais il pense que c'est une réaction proportionnelle à sa provocation, lors de leur dernier entretien. Elle le comprend d'ailleurs fort bien et fait mine de ne pas s'en émouvoir.

– Je suis obligé de vous demander si vous connaissez cette personne...

Madame Veuve pose l'image sur la table basse.

– Non. La photo de cette personne est parue dans tous les journaux, si c'était le cas, je vous aurais prévenu...

– Nous ne savons pas si cette personne connaissait votre mari, je veux dire votre époux. Mais la similitude entre... Ils ont été tués par la même arme, alors voyez-vous...

– Inspecteur, je pense que nous pouvons gagner du temps l'un et l'autre. Je ne connaissais pas toutes les maîtresses de mon époux, je dis bien « pas toutes », je mets de côté les plus confirmées. Celle-ci ne m'évoque rien, mais elle me semble tout à fait dans ses goûts. Elle ressemble étonnamment à toutes celles que vos collègues, avec plus ou moins de délicatesse, m'ont déjà apportées au cours des derniers mois. Mon époux avait beaucoup de... relations.

– Oui, c'est ce qu'a révélé l'enquête, mais justement, quelque chose nous chagrine. Parmi ses relations, il n'y avait aucune professionnelle.

Madame Veuve écrase sa cigarette à peine entamée.

– Inspecteur, le président Quentin était un homme tout ce qu'il y a de plus ordinaire. Soucieux des convenances, conscient de ses devoirs, mais qui n'avait pas coutume de résister à ses désirs. Il est mort à cinquante-quatre ans, c'est-à-dire à un âge où les hommes commencent à ne plus plaire aux femmes qui leur plaisent encore. Et c'était un homme pragmatique. S'il était mort dix ans plus tard, la proportion de professionnelles par rapport aux amatrices se serait sans doute inversée.

– Je vois…

La photo de Béatrice Lavergne est restée sur la table basse. Vassiliev regarde ce visage comme ces dessins pour enfants où la gueule du loup se cache à l'envers dans le feuillage des arbres. Il réfléchit selon son mode personnel qui consiste à laisser ses pensées se former et se dérouler dans l'ordre où elles arrivent. Mais rien ne vient. Il se passe une bonne minute dans le silence ouaté de l'appartement, où les domestiques, derrière les portes, doivent glisser comme des danseuses japonaises. Cette femme distante, ce lieu d'une neutralité absolue… Il a tout à coup envie d'être ailleurs, de respirer de l'air, du vrai. Est-elle devenue libertine par réaction contre son mari ? Peut-être considère-t-elle l'amour comme une discipline individuelle et le sexe comme un sport collectif.

– Je ne voudrais pas vous presser, inspecteur, mais avez-vous autre chose à me demander ?

Il hésite puis il se déplie. Il s'excuse de l'avoir dérangée, il est navré, mais ça n'a pas d'importance, elle comprend très bien, elle est désolée elle aussi de ne pouvoir aider davantage et elle espère que « l'enquête prendra fin un jour », le coup de pied de l'âne, juste à l'instant de tendre la main au visiteur pour lui signifier qu'il peut disposer.

Et puis, allez savoir pourquoi, alors qu'il s'apprête à passer le seuil du salon, il vient à Vassiliev l'envie d'en dire plus :

– Votre époux et Mlle Lavergne ont été tués par la même arme, mais aussi de la même manière. La demoiselle a d'abord reçu une première balle au niveau du sexe. Quand on veut tuer quelqu'un, on prend des précautions pour l'abattre sans être vu, rapidement, on utilise un calibre raisonnable, c'est très rare de tirer dans le sexe une balle qui pourrait tuer un rhinocéros.

Vassiliev regarde machinalement l'aquarelle sur le mur du vestibule et poursuit tranquillement, comme s'il pensait simplement à voix haute :

– C'est que, quand on tire une balle comme ça, dans le sexe, les dommages sont très spectaculaires, mais la mort ne survient pas immédiatement. C'est sans doute la raison pour laquelle le meurtrier leur a ensuite tiré une seconde balle dans la gorge. Dans les deux cas, une partie de la tête a été emportée, il ne restait plus que quelques lambeaux de muscles pour la retenir au tronc. Ce type de balle provoque de gros dégâts. Des trous énormes, surtout à bout portant, vous imaginez ! Pour ne parler que de Mlle Lavergne, on aurait presque dit que le corps avait été découpé en trois parties. Le bas, le milieu et le haut. C'est assez « sauvage », si vous me permettez l'expression.

Il regarde la veuve.

– Mais je vous embête avec ces détails, je ne veux pas vous déranger davantage.

– Vous ne m'avez pas dérangée, inspecteur.

Voix étranglée.

En descendant, Vassiliev sait qu'il a pris une revanche assez basse, et sur quoi d'ailleurs ? Il se battrait quand il agit comme ça.

*

Il n'est pas prévu que Vassiliev aille ce soir-là rendre visite à Monsieur, c'est-à-dire à Tevy. Il sait parfaitement qu'il ne se déplace plus seulement pour son ancien protecteur, mais beaucoup pour sa garde-malade, et il en est gêné. Il a l'impression de trahir. Il n'a jamais été très habile avec les femmes, c'est toujours arrivé sans qu'il l'espère vraiment. Aussi le bien-être qu'il ressent en présence de la jeune femme a-t-il le goût de la faute.

D'habitude, en partant, il dit « À jeudi ? » ou « À mardi ? ».

C'est toujours une question qu'il pose à Tevy, même si elle répond chaque fois « Oui, très bien… ». Comme si maintenant elle était chez elle et non plus chez Monsieur, et qu'il avait besoin de son assentiment pour lui rendre visite.

Lorsqu'il a quitté Neuilly, dimanche dernier, il a simplement dit « À bientôt ». Quelque chose se passe dans sa tête dont il ne sait pas quoi faire. Est-ce si difficile de dire à une jeune femme que…

Après sa visite à la veuve Quentin, il a donc décidé d'aller à Neuilly.

Et il est revenu chez lui à Aubervilliers.

Pour se faire beau.

En fait, il n'est pas plus beau qu'une heure avant, mais il se sent plus propre. De chez lui, il a appelé, demandé des nouvelles de Monsieur. Tevy allait-elle lui proposer de passer ? Il avait enfilé son costume bleu, le beau, qu'il réserve pour les grandes occasions, la dernière fois c'était pour les funérailles d'un collègue abattu par un dealer sous le boulevard périphérique.

Et la question tombe tout à trac :

– Vous avez le temps de passer ce soir ou non, René ?

Sa voix n'a pas la tonalité enjouée, sereine, qu'il attendait.

– Ça ne va pas ?

– Disons que rien ne s'arrange et il y a…

– Oui ?

– Il y a des moments difficiles…

Aussitôt le voilà dans le taxi. Il aurait dû se changer, il a l'air ridicule dans cet accoutrement.

Arrivé à Neuilly, machinalement, il cherche l'Ami 6, l'aile cabossée.

Enfin, il sonne, et c'est le rituel, à ceci près que Tevy

145

voit qu'il est en costume et qu'elle ne dit rien, le laisse passer. Il se tourne vers elle.

– Il a des absences… C'est arrivé brusquement. Tout d'un coup, il ne sait plus qui il est. Il ne me reconnaît pas, il fait semblant, mais je vois bien qu'il cherche à se souvenir, qu'il n'y arrive pas. Je lui ai dit que vous veniez, je ne sais pas s'il a bien compris.

De fait, Monsieur hoche la tête, comme si venait d'entrer un médecin qu'il ne connaît pas encore. Lorsque René tend son front, il ne sait pas comment réagir. Il sourit béatement, il n'est pas à l'aise. Alors René reste auprès de lui, ils regardent la télévision côte à côte, c'est assez angoissant. Pour René, le poids de ce costume… Il serait rentré avec une enclume entre les mains, il ne serait pas plus empêtré, plus gauche.

Tevy a dit qu'il y avait du potage à réchauffer et une salade de crevettes, et René a dit pourquoi pas, il n'a pas faim, mais que faire d'autre, Monsieur ne prononce pas un mot.

Monsieur semble ne pas avoir entendu la proposition. Il ne reviendra pas à lui-même de toute la soirée.

Vers vingt-trois heures, il cherche où aller dormir, il ne sait plus où se trouve sa chambre. Tevy lui montre le chemin, il est désorienté, silencieux, inquiet, on dirait qu'il marche sur des œufs.

Et brusquement, il se tourne vers Vassiliev et dit «Bonne nuit, mon petit René…», c'est très déroutant.

La fin de soirée est plus silencieuse que d'habitude.

– Il n'est pas toujours comme ça, vous savez... Ce matin, par exemple, il parlait tout à fait normalement.

Ça se veut rassurant, ça ne l'est pas réellement.

– Et ensuite, il se souvient de ce qui s'est passé ?

– Quand il revient à lui, je le sens gêné. Il sait qu'il vient de se passer quelque chose, mais il ne sait plus exactement ce que c'est.

Ils observent un long silence.

– Si ça se dégrade, dit Tevy, il faudra sans doute... Enfin, vous voyez...

Vassiliev voit très bien, alors il se lance :

– Je vous reverrai quand même ?

Et Tevy répond du tac au tac :

– Oh oui, René, je crois que oui...

13 septembre

Il y a un commentaire en face de chaque véhicule, juste un mot, mais c'est chaque fois bien vu. Rarement amical, mais bien vu. Vassiliev espère que si l'on arrête quelqu'un, le gardien sera aussi efficace lors du tapissage auquel il s'est préparé en établissant sa liste.

Trente-trois véhicules, c'est fou ce que ça débite un parking parisien.

Les collègues et lui se sont partagé les noms, on procède aux interrogatoires de chacun. Quand les conducteurs ne peuvent pas se déplacer, on se rend chez eux, à leur travail. Ils ne sont que trois de la brigade assignés à cette tâche, ça va prendre plusieurs jours, ce qui est un gâchis sans nom parce que c'est totalement vain.

Les treize premiers témoins ont tous dit la même chose. Ils ont entendu des explosions, des détonations, des coups de feu, le vocabulaire varie, mais la déclaration reste la même : rien vu, rien compris, tout appris ensuite dans les journaux.

Deux lignes intriguent Vassiliev.

La première est une voiture étrangère. Hollandaise. Le conducteur est reparti à Utrecht, on est en contact avec les confrères hollandais, ça n'est pas facile, personne ici ne parle ni le néerlandais, ni l'anglais, personne là-bas ne parle français, avec ça, allez faire une enquête internationale ! On ne sait pas encore ce que le type faisait à Paris ni la raison pour laquelle il se trouvait dans ce parking du XVe arrondissement à dix heures du matin. On saura ça dans quelques jours... Peut-être.

La seconde ligne, c'est une femme. «Grosse vioque – maquillage», a noté le gardien. Ce qui intrigue Vassiliev, ce n'est pas tant cette mention que l'appel à toutes les unités lancé le 8 septembre, cinq jours plus tôt, par la brigade de Melun au sujet du meurtre, en pleine rue, d'une certaine Constance Manier. Le recours à un gros calibre chagrine les collègues de Seine-et-Marne, on les comprend, si des armes de cette taille commencent à se balader dans le département, la sécurité va devenir un sport de combat.

Les meurtres du parking sont aussi l'œuvre d'un gros calibre, se dit Vassiliev. Pas très convaincant, a décrété le commissaire Occhipinti (sa mauvaise humeur transpirait ; en panne de cacahuètes, il n'était plus vraiment lui-même).

Ce que Vassiliev ne lui a pas dit, c'est que, sur cette liste, il y a une conductrice qui demeure à trois kilomètres de l'endroit où la fille a été abattue. Le commissaire aurait répondu qu'il y a sans doute des centaines de personnes qui habitent à trois kilomètres de n'importe quel crime.

L'inspecteur est simplement troublé par le fait que cette conductrice habite près du lieu du meurtre et qu'elle est aussi présente dans le parking, une semaine plus tard, quand on abat deux autres femmes.

La police n'entretient pas avec le hasard des relations aussi amicales que la vie elle-même. Et le rôle d'un enquêteur est d'être suspicieux.

Mais si Vassiliev n'a parlé à personne de ce doute, c'est que le pedigree de la conductrice en question se prête fort mal à ses supputations : soixante-trois ans, veuve, chevalier des Arts et des Lettres, médaille de la Résistance…

C'est pourquoi il annonce à ses collègues que c'est lui qui va s'y coller, mais qu'il le fait comme une simple formalité, il ne veut pas passer pour un con.

*

Henri a pris le premier avion et une voiture de location à l'aéroport. Il passe Melun vers onze heures et, vingt minutes plus tard, il est devant La Coustelle, où il se gare, coupe le moteur. Il reste ainsi un long moment. Puis il quitte sa voiture et s'avance à pied vers la grille, où il y a une clochette avec une petite chaîne. Il hésite,

LE SERPENT MAJUSCULE

une dernière fois. Pendant tout le voyage, il a remué ce qu'il sait, ce qu'il ne sait pas, ce qu'il craint d'apprendre, et à l'instant de sonner, imaginant Mathilde apparaître, la peur de l'irréparable le saisit. Après une longue inspiration, il tire la sonnette.

Il s'apprête à recommencer lorsque, enfin, à l'autre extrémité de l'allée rectiligne, Mathilde apparaît dans l'encadrement de la porte. Elle penche la tête, incertaine de ce qu'elle voit, puis un large sourire éclaire son visage. Il l'entend dire :

– Mon Dieu, c'est Henri !

On a l'impression qu'elle parle à quelqu'un d'autre. J'espère qu'elle est seule, se dit Henri. Il la voit attraper un châle dont elle se couvre les épaules après un long frisson.

– C'est ouvert, Henri, entre !

Elle reste sur la terrasse et le regarde avancer, élégant, d'un pas calme et ferme, c'est tout lui, il porte un blazer bleu profond avec une pochette assortie à la cravate club, quelle classe quand même, quel bel homme... Mais aussitôt, dans l'esprit de Mathilde, des clignotants multiples s'allument et, tandis qu'elle resserre à deux mains le châle sur sa poitrine, elle se demande ce qu'il vient faire, c'est tellement étranger au protocole. Il faut qu'il ait une raison bien impérative pour débarquer ainsi, sans prévenir, sans prétexte officiel. À mesure qu'il approche d'elle, Henri voit, sur le visage de Mathilde, se succéder toutes ces pensées, cette inquiétude, ces questions et, alors qu'il arrive à sa hauteur, elle se souvient d'un Luger 9 mm Parabellum qui se trouve dans le tiroir du meuble de cuisine.

– Oh, Henri, comme tu me fais plaisir…

Il s'est arrêté au pied de la terrasse et sourit.

– Désolé, je suis venu les mains vides.

Ça, ça m'étonnerait…

– Eh bien alors ! Tu ne montes pas m'embrasser ?

Henri monte et il la prend contre lui pour une longue accolade et, tandis qu'elle enfouit sa tête entre son épaule et son cou, elle se dit que s'il était armé elle le sentirait, mais Henri est un malin, il a toujours plus d'un tour dans son sac.

– Tu es venu comment ?

– L'avion, la voiture de location. Je l'ai laissée là-bas, plus loin, je ne veux pas te compromettre.

Elle rit, me compromettre…

Lui la serre, les deux mains aux épaules, et regarde par-dessus sa tête la porte vitrée, la cuisine, le couloir qui part sur la droite, la fenêtre sur la gauche, un panier pour chien, toujours faire attention aux chiens.

– Tu as un chien, Mathilde ?

– Mon pauvre, il est mort hier…

Sa voix s'est brusquement altérée, Henri jurerait qu'elle va se mettre à sangloter.

– Le voisin, dit-elle. Il me l'a empoisonné.

Henri fronce les sourcils, pourquoi a-t-il fait une chose pareille ?

– Il n'aboyait jamais, poursuit Mathilde, sage comme une image, un amour, tu ne peux pas savoir…

Il se tourne vers le jardin, découvre les trous qui constellent la pelouse.

– Sage, sage…

– Oh, ça, c'est rien, tous les jeunes chiens font ça ! On ne tue pas un chien parce qu'il a fait un trou quand même !

Henri est troublé. Le voisin a empoisonné le chien parce qu'il a creusé des trous dans une pelouse qui n'est pas la sienne ? Il est un peu perdu, mais Mathilde le secoue.

– Allez, ne reste pas là, entre !

Elle se retourne, pénètre dans la cuisine.

– Je te fais du café ?

– Ma foi…

Tandis qu'elle sort les tasses, Mathilde jacasse, parle vite, il y a dans sa voix une excitation presque juvénile.

– Qu'est-ce que ça me fait plaisir, Henri, tu n'imagines pas ! Toutes ces années sans te préoccuper de Mathilde. Ta ta ta ta, je sais ce que je dis, tu m'as laissée tomber comme une vieille chaussette !

Elle a raison de parler de « toutes ces années »… Leur dernière rencontre remonte à quinze ans, un dîner dans un restaurant parisien. Depuis, Mathilde a grossi, elle marche plus lourdement qu'avant. On dirait qu'elle a perdu dix centimètres en hauteur qu'elle a gagnés en largeur. Son visage lui aussi s'est affaissé, le menton pend un peu. Ce qui reste de merveilleux, par contre, c'est son regard, d'une clarté, d'une limpidité inouïes.

Même quand il s'assied, Henri est élégant, pense Mathilde. La circonstance est étrange pour des retrouvailles, mais il est souriant, détendu, amical, on ne sait jamais ce que ça présage chez lui.

Elle a servi du café et ils se sont installés dans la cuisine. Elle a pensé lui proposer d'aller au salon, mais ici, c'est mieux, le tiroir est juste sur sa droite, la bonne main pour elle.

– Bon, dis-moi, Henri, tu n'es pas sorti de ta tanière pour goûter mon café…

– Évidemment, Mathilde. Venir ici, c'est contraire à toutes les règles, tu le sais. Cela dit, toi et moi, ça n'est pas pareil…

– Pas pareil que quoi ?

– Pas pareil que les autres, nous sommes de vieux amis.

– Et donc ?

Henri souffle sur son café, regarde ailleurs, revient à elle.

– L'avenue Foch…

– Quoi, l'avenue Foch, de quoi tu me parles ?

– Ce qui s'est passé continue de m'intriguer…

– Mais on en a parlé ensemble, pourquoi tu veux revenir sur de vieilles histoires ?

Sa cuillère s'agite nerveusement dans sa tasse et fait un bruit cristallin.

– Parce que tu as voulu me rassurer, dit Henri, mais tu ne m'as pas réellement expliqué la raison pour laquelle tu t'y es prise de cette manière.

Mathilde penche la tête sur sa tasse. Ça lui revient d'un coup, elle revoit le type, elle connaissait son visage, on l'a vu mille fois dans des journaux, à la télévision. Elle se souvient de l'avenue et de lui qui marche lentement sur le trottoir dans sa direction, il a…

– C'est à cause du chien.

– Du chien…

– Oui. Il voulait s'arrêter et son maître tirait sur la laisse, il le traînait, tu vois, Henri, tout en force, un petit cocker adorable, et…

– Un teckel plutôt, non ?

– Oui, pardon, un teckel.

Mathilde cherche à revoir le chien, mais le souvenir ne remonte pas, peu importe, elle poursuit :

– Alors ça m'a foutue en boule, tu sais comme j'aime les bêtes, ça a été plus fort que moi.

– Dans ce cas, pourquoi l'effacer aussi ?

Elle a presque les larmes aux yeux.

– J'ai tout de suite vu la situation, Henri ! Après la disparition de son maître, elle aurait été malheureuse, cette bête.

Henri l'observe, oui, je comprends. Se montrer rassurant. Il tourne la tête vers la terrasse, le jardin.

– Tu es sacrément bien ici, qu'est-ce que c'est calme !

Aïe, quand Henri fait ce genre de diversion, c'est rarement bon signe.

– C'est toi qui t'occupes du jardin ou tu as quelqu'un ?

– Arrête tes salades, Henri, qu'est-ce qu'il y a d'autre ?

– Cette histoire dans le parking... Le DRH est furieux, tu peux le comprendre...

Mathilde baisse la tête, son visage est rose de contrition.

– Tu es venue pour me foutre à la porte, c'est ça, Henri ?

– Mais jamais de la vie, Mathilde ! Seulement, il faut que j'explique au DRH, je me voyais mal discuter de cette affaire au téléphone avec toi, j'ai préféré qu'on en parle ensemble calmement. Mais d'abord, tu ne m'as pas dit : comment vas-tu, Mathilde ?

Elle se lève et vient s'appuyer sur le plan de travail.

– Je ne vais pas te le cacher, Henri, la vieillerie me travaille.

– C'est le cas de tout le monde.

– Eh bien, tu vois, quand je te regarde, j'ai la confirmation que c'est moins dur pour les hommes que pour les femmes...

Ils sourient.

– Je peux ? demande Henri en montrant la cafetière.
Sans attendre la réponse, il se ressert.

– Je ne veux pas t'embêter avec ça, Mathilde, mais il y avait une cible sur ce contrat, pas deux…

– J'ai été surprise, voilà !

Elle a hurlé. Moins pour appuyer son argument que par soulagement de se souvenir de la scène. Elle tient le fil, alors elle raconte tout par le détail. C'est par les détails concrets, véridiques, qu'elle va rassurer Henri.

Lui écoute attentivement. De fait, c'est assez convaincant.

– … que la bonne femme s'est mise à hurler, je ne sais pas par où elle est arrivée, c'est incroyable ! Et donc, je me retourne et…

Plus jamais il ne lui confiera une mission, elle manque aujourd'hui du sang-froid indispensable, elle mettrait tout le monde en danger, non, ce n'est plus possible. Elle doit cesser de faire ce travail. Mais c'est un métier où personne ne prend sa retraite. Le DRH va exiger qu'il s'occupe de Mathilde.

C'est l'affaire de quelques heures.

Si on veut éviter ça, se dit Henri, d'ici là, il faudra qu'elle soit partie.

Il ne sait plus si c'est une bonne nouvelle, il se demande comment elle va prendre les choses.

Parce que lui aussi va devoir partir.

Depuis des décennies qu'il fait ce travail, il a eu le temps de tout organiser, c'est la base, faux papiers, argent dans un paradis fiscal. Il va falloir dire à Mathilde la vérité et être prêt au pire. Expliquer : « J'ai prévu ma fuite, Mathilde, mais aussi la tienne. Nous allons devoir partir ensemble. »

– … là-dessus, je me dis que remonter à pied dans la galerie commerciale, c'est une connerie, il vaut mieux jouer ma meilleure carte : être Mathilde Perrin. Et donc, je démarre et…

Il a préparé tout ça il y a quinze ans et renouvelé les passeports quand ils sont arrivés à expiration. « Nous allons partir tous les deux, va-t-il lui dire, mais rassure-toi, nous ne serons pas obligés de rester ensemble ! » Et c'est vrai. Une fois sorti de ce pétrin, chacun fera ce qu'il voudra. Elle aura peut-être envie de faire sa vie autrement, c'est compréhensible…

Henri hoche la tête à la fin de son explication, il comprend très bien, c'est un engrenage de circonstances malheureuses.

Elle se sait sur la corde raide. S'il est convaincu, il va lui ficher la paix, sinon le DRH va se fâcher tout rouge et alors… Elle secoue la tête, elle ne veut pas penser à des horreurs pareilles.

Elle s'aperçoit qu'il est silencieux.

– Juste une chose, Mathilde… Tu te souviens du protocole en ce qui concerne les outils ?

– Henri, tu me prends pour une cloche ? Évidemment que je m'en souviens !

Mathilde recommence à mouliner dans sa tête, elle n'y comprend plus rien à ces histoires d'armes dans les cartons, dans la Seine, le pont Sully, le Pont-Neuf, dans les tiroirs, s'il continue à lui poser des questions, elle va ouvrir celui contre lequel elle a posé les fesses et lui coller deux balles dans le crâne, à ce vieil Henri, ça va lui remettre les idées en place.

– Alors, dis-moi, poursuit-il, pourquoi le même outil a servi dans deux missions différentes.

Mathilde soupire, revient à la table, s'assied, tend les mains, attrape celles d'Henri, comme elles sont chaudes, c'est une chose qu'elle a toujours adorée chez lui, des mains larges avec de belles veines sur le dessus, où j'en étais, ah oui.

– Henri, il faut que je t'avoue quelque chose.

– Je t'écoute.

– Je sais que ça va te sembler surprenant, mais c'est la loi des séries.

Henri opine de la tête, laisse-la parler, attends de voir comment elle va s'en sortir.

– Vu d'où tu es, ça semble curieux, mais je t'assure, c'est vrai : j'ai oublié ! Le type de l'avenue Foch m'avait tellement bouleversée avec son petit chien, si mignon, que j'ai laissé l'outil dans la voiture, je m'en suis aperçue le lendemain, voilà, c'est un oubli.

– La loi des séries ?

– Oui ! D'abord, j'oublie de me séparer de l'outil, ensuite une bonne femme se met à hurler dans le parking, c'est toujours comme ça, tout va bien pendant des années, et d'un coup, tout te dégringole dessus, mais c'est terminé, je veux dire, la loi des séries. Et tu sais pourquoi ?

Henri hoche la tête, non.

– Parce que tu es venu, Henri.

Elle sourit.

– Tu n'imagines pas le bien que ça me fait de te voir, de te retrouver ! Grâce à toi, je sais que je vais repartir de plus belle. Oh, Henri...

Sa voix se brise, elle lui tient les mains par-dessus la table. Il se perd dans son regard.

– Je ne t'ai jamais dit, n'est-ce pas... combien je tenais à toi. Je peux te le dire aujourd'hui parce que nous sommes vieux et...

Elle hésite, sa lèvre tremble. Henri est très mal à l'aise. Elle serre ses mains si fort entre les siennes et il y a quelque chose de si déchirant dans cet instant...

– Je ne sais pas si je peux te le dire, Henri...

– Me dire quoi, Mathilde ?

Sa voix, à lui aussi, est changée, il ne la reconnaît pas. Allons, pense-t-il, nous allons devenir ridicules.

– Non, dit-elle, ce serait ridicule... Se faire des déclarations, à nos âges...

L'instant magique est passé comme il était venu.

Leur vie, au fond, se déroule selon la formule éprouvée entre eux, toute tissée de sous-entendus et de rendez-vous manqués.

De ce fait, tout redevient possible. Le renoncement à l'aveu ouvre à la possibilité du départ.

160

– D'ailleurs, dit-elle, tu viens là me demander des comptes et me faire des reproches, mais…

– Pas du tout, Mathilde…

– … mais quand tu es content de moi, tu pourrais aussi le dire ! Pour la fille de Messin, tu n'as rien dit, tu ne m'en parles même pas ! Mais tu avoueras que tu as rarement vu une mission aussi rapide et aussi propre ! Et ça n'était pas facile, tu sais, il y avait une de ces pluies !

Elle a senti ses mains se raidir. Henri est tendu vers elle, il l'écoute avec une attention qui la charme, ah, enfin, il reconnaît mes qualités !

– Oui, justement, la fille de…

Il n'est pas certain d'avoir compris le nom, est-ce une ville, un lieu ? Il se replie sur une position prudente :

– Raconte-moi un peu, j'ai hâte.

– Je me suis fait une de ces peurs, Henri, tu ne peux pas savoir !

– Dis-moi…

Il sourit largement.

– Imagine-toi que j'ai failli recourir à la procédure de vérification ! Tu vas rire… Au dernier moment, j'ai été prise d'un doute. Si, si, je t'assure. Cette banlieue remplie de petits dealers, cette fille maigre comme un clou… Je me suis dit, non, Mathilde, tu risques de faire une boulette, ça n'est peut-être pas ta cible. Mais bon, j'avais le papier, j'ai vérifié, ouf… Tu sais que je me suis fait peur ?

– Bah j'imagine, oui !

Il sourit, très détendu. Il met la main dans sa poche, en sort son paquet de cigarettes. Il en fume deux par jour. Il pose à Mathilde la question silencieuse, je peux ?

– Et donc tu avais le papier et tu t'es trouvée rassurée…

– Oui, par bonheur je l'avais emporté, il était dans ma poche. C'est d'ailleurs curieux, il y a des signes qui ne trompent pas, juste au moment où je le retrouve, voilà la fille qui se pointe au bout de la rue. Bon, la suite, tu la connais. Tu as vu, hein ? J'espère que tu étais content.

– C'était parfait, Mathilde, comme toujours.

Il part d'un petit rire.

– Comme « presque » toujours !

Il a appuyé sur le mot, il veut montrer qu'il plaisante, il doit être tout à fait clair qu'il plaisante.

Mathilde a abattu une fille dans cette banlieue dont le nom lui a échappé, elle prend des notes sur des papiers qu'elle conserve. Comme les armes dont elle se sert ensuite pour des missions imaginaires sur des victimes tout ce qu'il y a de plus réelles. Question : combien en a-t-elle accomplis ? Les projets de départ, de protection viennent d'exploser en vol. Henri est sidéré. La machine de destruction fabriquée par le système lui échappe.

Mathilde le regarde fumer sa cigarette, admirative. Même ce simple geste est, chez lui, d'une élégance folle ! Elle n'a pas pensé à sortir de cendrier, il a écrasé

son mégot dans la soucoupe de sa tasse. À peine entamée, déjà achevée, si ça n'était pas lui, je dirais qu'il est
nerveux, mais je connais mon Henri comme ma poche,
d'ailleurs il sourit largement.

– Je suis content qu'on ait fait le point, Mathilde.

– Tu t'inquiétais pour rien, Henri !

– Oui, je vois ça…

– Tu es rassuré maintenant ?

– Totalement.

– En même temps, t'inquiéter un peu m'a valu ta
visite…

Elle minaude. Il fait mine de la gronder :

– Ça ne te donne pas envie de recommencer,
j'espère…

Avec les gros yeux, comme un maître d'école. Il se
lève.

– Allons, il est temps de repartir, ce n'est déjà pas
bien régulier d'être venu, il vaut mieux que je ne
m'attarde pas, tu le comprends ?

– Vraiment ?

Il y a de la panique dans la voix de Mathilde. Henri
esquisse un geste, comment faire autrement ?

Elle se lance :

– Je peux te demander quelque chose ?

Il écarte les mains prudemment.

– Tu ne veux pas me prendre dans tes bras, Henri,
comme autrefois ?

Sans attendre, elle vient se blottir contre lui. Il fait

quasiment une tête de plus qu'elle. Il la tient serrée. Il se sent lâche parce qu'il va repartir. Normalement, il devrait revenir cette nuit, la surprendre. Régler le problème sans tarder. Mathilde est partie dans un délire qui va aller de mal en pis, il faut arrêter l'hémorragie maintenant. Mais il ne pourra jamais, il le sait. Mathilde n'est plus vraiment elle-même, elle débloque. Elle est devenue trop dangereuse pour tout le monde et ça ne peut pas durer plus longtemps, mais le faire lui, non, il ne peut pas, il ne pourrait pas braquer sur elle le canon d'un pistolet et tirer, ce serait au-dessus de ses forces.

Il va régler autrement le problème.

Et quand le programme sera bouclé, il sera urgent pour lui aussi de partir.

– Allons, Mathilde…

Mais elle ne bouge pas. Il jurerait qu'elle pleure. Il ne lui demande pas, mais quand elle consent enfin à s'éloigner de lui, elle se retourne vite, il ne voit pas son visage. Elle renifle fort, se mouche.

– Allez, dit-elle dans un souffle, sauve-toi…

Henri esquisse un geste d'au revoir, elle en esquisse un autre, ne te donne pas cette peine. Elle se retourne enfin.

Ils se regardent, elle a les yeux baignés de larmes.

Henri tourne les talons, descend les marches de la terrasse et, sans se retourner, gagne la grille puis sa voiture, il démarre, il est fourbu.

*

Mon Dieu… Comme ce serait bien… Si seulement c'était possible ! (Mathilde lave les deux tasses, les deux cuillères, la cafetière.)

Qu'Henri vienne ici, comme ça, sans prévenir.

Il prendrait pour prétexte de me faire des petits reproches, on a toujours des choses à redire, aucune mission ne se déroule exactement comme on l'a prévu, c'est normal. Il viendrait me faire les gros yeux, mais en fait, ce serait pour parler avec moi, pour nous retrouver. Comme ce serait bien…

Elle a terminé sa petite vaisselle, elle devrait manger, quelle heure est-il ? Treize heures ! Je suis là à rêvasser qu'Henri vient me faire du charme et je n'ai rien pré-paré…

Mais elle se rassoit lourdement. Aucun courage.

Elle a laissé le panier de Ludo dans le coin de la cui-sine. Pauvre bête, tout de même, mourir ainsi…

Le début d'après-midi passe très lentement, ce songe éveillé avec Henri l'a épuisée. Elle se sent très seule.

Vers quinze heures, elle décide d'aller s'acheter un nouveau chien.

*

La circulation ne facilite pas les choses, c'est le retour des banlieusards après la journée de travail et donc les encombrements. Le trajet est vraiment interminable. Il est dix-huit heures trente quand il arrive sur place.

La Coustelle n'est pas un endroit bien facile à trouver.

Vassiliev gare la voiture de service quelques centaines de mètres plus loin. Il reprend le chemin en sens inverse jusqu'à la maison, jette un œil dans la boîte aux lettres, se retourne pour vérifier qu'il n'est pas observé et, à l'aide d'un stylo à bille, parvient à extraire le courrier. Il trouve la convocation à la brigade de Melun datant du matin même. Il la fourre dans sa poche, remet le reste dans la boîte et décide de faire le tour de la propriété.

Parvenu au coin de la rue, il croise la Renault 25 crème immatriculée HH 77, conduite prudemment par une femme d'âge mûr portant de larges lunettes. Il continue de marcher comme si de rien n'était, mais s'arrête quelques pas plus loin, revient en arrière, et voit, dans l'allée qui mène à une maison de plain-pied, la conductrice, une femme forte qui descend de voiture et s'étire avant d'aller ouvrir le coffre arrière. Il reprend sa marche et, en passant près de la maison voisine, il entend le bruit d'une cisaille. Il aperçoit un homme, il s'arrête.

– Ce sont des poiriers… ? hasarde Vassiliev en apercevant un coin de potager et quelques fruitiers.

Jardinier du genre communicatif, voilà le message du large sourire qu'il adresse à Vassiliev.

Alors, inévitablement, le cours sur les différentes

sortes de poires, les avantages comparatifs des unes et des autres.

– Vous voulez goûter ? demande M. Lepoitevin.

– Ça ne serait pas de refus, répond Vassiliev, qui gagne aussitôt vingt places dans le carnet de bal de M. Lepoitevin.

On passera les exclamations sur le goût de la poire, les félicitations de l'un, les sourires modestes de l'autre.

– Mme Perrin, c'est cette maison-là ? demande enfin l'inspecteur.

– Ah, vous venez pour la folle ?

Vassiliev fronce les sourcils. Mais M. Lepoitevin s'est légèrement reculé et observe son interlocuteur avec une attention nouvelle et soutenue.

– Vous êtes de la police, non ?

Avant que l'inspecteur réponde, il ajoute :

– Les policiers, je les reconnais au premier coup d'œil, j'ai été commissaire-priseur.

Vassiliev ne voit pas clairement le rapport, mais il s'intéresse surtout à « la folle ».

– Pourquoi dites-vous qu'elle est folle ?

– À cause de son chien. Elle l'a enterré sans la tête.

Vassiliev a un peu de mal à comprendre.

– Bon, reprend patiemment M. Lepoitevin, son chien est mort, ne me demandez pas comment, mais enfin, même un chien crevé, ça a encore la tête sur les épaules, non ? Eh bien, pas le sien. Par la haie, je l'ai vue l'enterrer, la tête était à trois mètres, elle doit toujours y être.

Vous trouvez ça normal, vous ? C'était un dalmatien, il n'y a pas plus con, mais quand même, comment une bête pareille peut se retrouver décapitée ?

— Vous ne lui avez pas demandé ?

— Oh, vous savez, moi, avec les gens, c'est bonjour bonsoir, si on devait s'occuper de ce qui se passe chez les autres…

— Vous regardez bien à travers la haie…

— J'ai regardé parce qu'elle ahanait comme une damnée, cette folle ! Je me demandais si elle voulait un coup de main. Faire un trou de la dimension d'un clébard, même sans la tête, c'est quelque chose ! Quand j'ai vu le travail, je me suis dit, oh là là, je ne m'occupe pas de ce truc.

— Je vois. Décapité, le chien, vous êtes certain ?

— C'est pour ça que vous êtes venu, pour le chien ?

— Non, c'est juste pour déposer une convocation, rien de particulier.

— Convocation… pour le chien ?

C'est une idée fixe chez lui.

— Pas vraiment, mais maintenant que je suis au courant, je poserai la question. Merci pour la poire !

Lepoitevin le regarde partir. Vassiliev n'est pas le genre de flic en qui il aurait confiance.

La voiture croisée tout à l'heure est maintenant garée devant la maison. La propriétaire est sur la terrasse, penchée vers le sol. Elle semble parler toute seule, mais il est trop loin pour entendre ce qu'elle dit.

– Tu seras bien ici, bichon.

Les chiens, c'est beau à cet âge-là. Bon, ça pisse sur les coussins, ça couine en voiture, mais c'est chaud, c'est fragile, c'est gentil. Un cocker. Mathilde s'est rendue à l'animalerie. La vendeuse connaissait le truc. Elle lui a flanqué la boule de poils entre les mains. Mathilde est repartie avec le chiot, le panier, le collier, la laisse, les croquettes pour un mois, le carnet de santé, les neuf pages synthétisant la réglementation européenne, bref, à peu près tout ce qu'elle avait, un an plus tôt, en quittant un chenil de l'avenue Malesherbes avec Ludo. Le cocker s'appelle Cookie. Elle va faire avec. Pour le moment, il est roulé en boule dans le panier.

Elle glisse un doigt sur son pelage bouillant. Tout de même, pour une femme seule comme elle, c'est une compagnie, et elle a suffisamment pleuré la mort de ce pauvre Ludo, qui était d'ailleurs bête comme ses pieds, pour maintenant s'en offrir un autre en espérant qu'il sera moins con, c'est tout.

Sentant la présence de quelqu'un, Mathilde relève la tête et aperçoit un grand escogriffe qui attend derrière la grille. Un vendeur ? Il tire sur la chaîne, la clochette tinte…

Elle devrait aller au-devant de lui, l'envoyer se faire voir, elle n'a pas l'intention de se laisser emmerder par un représentant, mais quelque chose lui dit que ce n'est pas ça. D'abord, il n'a pas de sac, de sacoche, rien, il reste les bras ballants, et même de loin, il a l'air sacrément empoté.

À ses pieds, le chiot tente de quitter son panier.

– Bouge pas de là, toi…

Elle le repose dedans, il se roule en boule. Elle caresse sa fourrure qui est un duvet, d'une douceur de satin.

Elle se tourne de nouveau vers l'allée, fait un signe assez vague. Vassiliev se risque à pousser la grille, à s'avancer. En approchant, il semble plus grand encore qu'elle le pensait. Il est voûté, elle n'aime pas les hommes voûtés, voyez Henri, droit comme un I, mais sans raideur, alors que celui-là, et mal fagoté avec ça, habillé comme l'as de pique.

Le voici en bas de la terrasse. Il se présente, montre sa carte. Mathilde écarquille les yeux, très impressionnée.

– La police judiciaire, mon Dieu !

– Oh, ce n'est rien, madame…

– Comment ça, ce n'est rien ! La police judiciaire, dites-moi, ce n'est pas rien !

– Ce n'est pas ce que je voulais dire.

– Qu'est-ce que vous vouliez dire ?

Voilà Vassiliev venu poser des questions, sommé de répondre à celles de cette vieille femme. Il l'observe. Elle a été belle, cela se voit, même aux yeux d'un homme comme lui, peu enclin à dévisager les femmes.

– Montez quand même…

« Quand même », Vassiliev ne sait pas ce que ça veut dire.

Mathilde porte une robe imprimée à manches longues et une sorte de surblouse avec une large poche ventrale, comme un tablier de jardinier. Vassiliev repense au voisin. Il se tourne. Machinalement il regarde la haie dont il lui a parlé. Cette histoire abracadabrante…

– Je viens pour…

– Asseyez-vous.

Elle-même s'effondre dans le fauteuil à bascule, Vassiliev prend la chaise en fer.

– Alors, qu'est-ce qui vous amène ?

Vassiliev est décidé à surmonter le handicap du premier contact. Cette femme est sûre d'elle, ce qui le met mal à l'aise. Il voit le panier près de la balustrade, duquel le chiot sort à peine la tête.

– Vous avez un nouveau chien.

Il s'est levé, s'est agenouillé et passe un doigt timide sur le pelage du cocker qui se blottit langoureusement, la tête entre les pattes.

– Pourquoi dites-vous ça ?

– C'est un cocker, lâche Vassiliev en se relevant.

– Oui, je sais, merci !

Elle est agacée, ça s'entend. Vassiliev a un avantage, sa taille. Mathilde en a un autre, elle réfléchit très vite.

– Comment savez-vous que j'ai un « nouveau » chien ? Parce qu'il est jeune ?

– Non, parce que votre voisin me l'a dit. Avant, vous aviez un dalmatien, je crois.

– Cette fois, j'ai pris un cocker. Je ne peux pas rester sans chien, vous comprenez, une femme seule comme moi…

– Remarquez, un cocker, pour la garde…

– Non, c'est pour la compagnie. Alors, qu'est-ce qui vous amène, commissaire ?

– Inspecteur.

– Je suppose que ça ne change rien au motif de votre visite.

– Non, en effet.

Il cherche ses mots. Mathilde le fixe, elle attend avec une patience très démonstrative.

– C'est au sujet de la tuerie du parking, à Paris dans le XVe arrondissement.

– La tuerie ?

– Votre voiture était garée dans le parking du centre commercial où deux femmes ont été tuées avec une arme de gros calibre…

– Ça n'est pas moi !

Vassiliev éclate de rire, c'est plus fort que lui.

– Oui, je m'en doute. Ce n'est pas la raison de ma venue. Nous procédons à l'interrogatoire des témoins.

– Moi, je n'ai rien vu.

– Et vous n'avez rien entendu non plus ?

– Ah si, comme tout le monde ! Parce que je suis vieille, vous imaginez que je suis sourde ?

– Pas du tout, je vous demande seulement…

– Passez-moi le chien.

Vassiliev se retourne, prend le chiot. Il est surpris de la chaleur de la bête, il la tend à Mathilde, qui l'installe sur ses genoux, à la limite de son ventre débordant.

– J'ai entendu des explosions.

Touchant tableau. Vassiliev se demande s'il est dans le même monde que d'habitude. Il enquête sur deux crimes sans doute dus à des professionnels et il est là, face à une femme de plus de soixante ans, mère de famille d'après son dossier, qui habite presque à la campagne, qui tient son chiot sur ses genoux et ne semble nullement impressionnée par ses questions.

– C'étaient des détonations, précise-t-il.

– Je ne vois pas la différence.

– Peu importe. Combien en avez-vous entendus ?

– Trois.

– Béatrice Lavergne, cela vous dit quelque chose ?

– Non, ça devrait ?

– Et Maurice Quentin ?

– Non plus.

– C'est étrange.

– Qu'est-ce qui est étrange ?

– Vous êtes la seule personne que je rencontre à ne pas savoir que Maurice Quentin, l'industriel, a été tué à Paris en mai dernier, toute la presse a parlé de cette affaire…

– Ah, ce Quentin-là ? Celui-là, bien sûr, j'en ai entendu parler, mais ça remonte à vieux, pourquoi ?

– Pour rien.

– Comment ça, pour rien ? Vous posez des questions pour rien ?

– Ce n'est pas ce que je voulais dire.

– Qu'est-ce que vous vouliez dire alors ?

– Dites-moi ce que vous avez vu dans le parking du centre commercial, je vous prie.

– Je n'étais pas dans le parking, j'étais dans un magasin.

– Et de là, vous avez entendu les détonations ?

– Non, ça, c'est depuis le parking.

Vassiliev plisse les yeux, il a du mal à saisir.

– Je sortais d'un magasin pour descendre reprendre ma voiture quand j'ai entendu les explosions, mais je n'ai rien vu, vous comprenez ?

– À peu près.

– Tant mieux.

– Vous étiez garée à quel niveau ?

– Deuxième sous-sol, troisième, je ne sais plus, ils se ressemblent tous, les sous-sols, vous ne savez jamais où vous êtes…

Mathilde ne semble pas convaincue que cet inspecteur ait compris quoi que ce soit.

– Vous revenez de voyage ? demande-t-il soudain.

– Non, pourquoi ?

– Vous vous étiriez en descendant de voiture, comme si vous aviez fait de la route, alors…

– Vous êtes un vrai Sherlock Holmes, dites-moi ! Vous savez, je m'étire aussi quand je ne reviens pas de voyage ! Avec de l'arthrose, vous vous étirez dès que vous avez conservé une position pendant plus de deux minutes. Vous verrez… Grand comme vous êtes, ça va vous tomber dessus un jour ou l'autre, c'est certain.

– Je comprends…

– Vous avez d'autres questions ?

– Non. Enfin, je me demandais juste pour votre chien…

Mathilde désigne le chiot qui s'est rendormi entre ses jambes.

– Vous voulez savoir s'il était avec moi, s'il a entendu des explosions au nombre de trois ?

– Non, je voulais seulement comprendre pourquoi la tête de votre chien, l'autre, le dalmatien, était séparée du corps.

Mathilde le regarde avec sévérité.

– C'est votre voisin, explique-t-il. Il lui a semblé, quand vous avez enterré votre chien, qu'il n'avait plus sa tête.

Mathilde serait seule, elle se lèverait, se rendrait dans la cuisine, sortirait le Luger 9 mm du tiroir et irait de ce pas lui coller trois balles dans les roustons, à cet enfoiré de Lepoitevin !

D'ailleurs, c'est ce qu'elle va faire pas plus tard que

tout à l'heure, quand ce grand con d'inspecteur aura tourné les talons !

Contrariée par ce contretemps, elle montre un visage fulminant, Vassiliev imagine très bien quel genre de grand-mère elle doit être, mais il n'a pas trouvé trace de petits-enfants. Et soudain son visage se transforme, on jurerait qu'elle va pleurer. Vassiliev a honte de faire du mal à cette vieille femme.

– Je l'ai trouvé comme ça, le pauvre Ludo, dit-elle d'une voix à peine audible. Décapité. Épouvantable.

Mathilde semble prête à mordre son poing, mais elle se reprend.

– Vous enquêtez aussi sur les chiens ?

– Non, pas vraiment, je me demande juste…

– Vous vous demandez quoi ?

– Où est le corps du chien ?

Mathilde caresse toujours la petite boule calée entre ses genoux. La tête baissée, elle répond d'une voix blanche à la limite du sanglot :

– Je l'ai enterré, commissaire. C'est terrible, n'est-ce pas ?

– Non, vous avez bien fait.

– Je voulais dire, c'est terrible ce qui lui est arrivé.

– Oui, aussi. Et quand vous l'avez enterré, vous avez laissé la tête dans le jardin ?

– J'étais dans un état pas possible, mettez-vous à ma place ! C'était un très beau chien, vous savez…

Vassiliev acquiesce, oui, sans doute, et grand aussi, et lourd, ça n'a pas dû être une tâche facile.

– Mais… qui a pu faire une chose pareille, vous avez une idée ?

– À la campagne, ce sont des choses qui arrivent, vous savez…

– Moi, j'habite Aubervilliers, il y a pas mal de chiens, mais je n'en ai jamais trouvé un décapité dans l'entrée de mon immeuble.

– Je veux dire, à la campagne ! Les jalousies, toutes ces choses. Je n'ai pas voulu déranger la police pour une histoire de chien.

– Je comprends.

Il laisse un long silence et comme pour lui-même ajoute :

– J'ai déjà entendu parler de chiens empoisonnés ou de chats, et même de coups de fusil de chasse, mais franchement, de décapitations, jamais…

– Moi non plus. Jusqu'à Ludo. Il va me le payer, croyez-moi…

– Qui ça ?

Mathilde désigne le voisin. Elle baisse la voix :

– Je suis certaine que c'est lui. D'ailleurs, je vais porter plainte. Vous avez de quoi enregistrer ma plainte ?

– Non, pas ici… Pour ça, vous devez vous rendre au commissariat.

– Ah, il faut se déplacer ? Mais on discute, on

discute, et je ne vous ai même pas proposé quelque chose à boire.

Disant cela, elle ne bouge pas d'un cil, comme s'il n'y avait aucun rapport entre ce qu'elle vient de dire et son intention réelle. Il n'y en a d'ailleurs aucun parce que son envie, avant d'aller s'expliquer avec Lepoitevin, ce serait de se débarrasser de cet inspecteur qui lui casse les pieds avec des histoires de chien au lieu de courir après les voleurs et les meurtriers !

Vassiliev va se lever.

— Je vous remercie, d'ailleurs j'allais partir.

— Votre enquête est terminée ?

— Pas vraiment, justement…

Mais Vassiliev reste là, à fixer le sol d'un air entêté. Il relève soudain la tête.

— J'aimerais vous demander… Mercredi dernier, le 11, le jour du parking, qu'est-ce que vous faisiez dans le XVe arrondissement ? C'est très loin de chez vous…

— J'allais acheter des chaussures à lanières. Les miennes venaient de casser.

— On n'en vend pas en Seine-et-Marne ?

— Je voulais les mêmes exactement.

Elle jette un œil sur les chaussures éculées de Vassiliev.

— Je ne suis pas certaine que vous sachiez ce que c'est que chercher des chaussures, mais je vous assure, pour trouver exactement les mêmes, le mieux c'est toujours de retourner là où vous les avez achetées la première fois.

Vassiliev approuve de la tête.

– Vous avez gardé le ticket de caisse ?

– Ils ne font plus ce modèle, je suis revenue bredouille.

D'accord. Vassiliev se tape sur les cuisses, bon, eh bien, je ne vais pas vous embêter plus longtemps, mais il se ravise.

– Et vous l'avez enterré où, votre chien ?

Mathilde, de la main, par là.

– Sans la tête…, insiste Vassiliev.

Elle fait un geste douloureux d'approbation.

– Vous allez l'enterrer avec le corps, je suppose… ?

– Je crois, oui. Il vaut mieux que tout soit ensemble, vous ne pensez pas ?

– Oui, c'est assez logique. Et… où est-elle, maintenant, la tête ?

– Sous la haie, juste à droite. Du moins, je crois, parce que c'est là que le voisin avait laissé le corps de ce pauvre Ludo.

Inexplicablement, Vassiliev a envie de la voir, cette satanée tête de chien, pour de vrai.

Il se déplie et sans un mot se dirige vers l'endroit que lui a indiqué Mathilde.

Elle le regarde s'éloigner. Le petit chien couine, elle ne s'est pas rendu compte qu'elle le serrait un peu trop fort.

Vassiliev distingue bien, dans l'herbe, la forme du corps, mais pas trace de la tête. Il revient vers la terrasse, mais reste en bas des marches. Mathilde n'a pas bougé d'un cil, elle caresse le chiot entre ses cuisses.

– Je ne l'ai pas trouvée.

– Ça, c'est la meilleure de l'année…

Mathilde s'est levée d'un bond, elle semble outrée. Elle pose le chiot sur le fauteuil et descend lourdement les quatre marches de la terrasse.

Vassiliev la suit et tous deux se mettent à battre le jardin et la haie en cherchant au sol, comme un vieux couple dont l'un aurait perdu sa montre en revenant de la plage. Il faut bientôt se rendre à l'évidence, la tête du dalmatien a disparu.

L'inspecteur est à l'angle de la maison et aperçoit un petit monticule de terre retournée.

– C'est là que vous l'avez enterré ?

– Oui, dit Mathilde en le rejoignant.

Et tous deux restent plantés, l'un à côté de l'autre, à observer la tombe du chien sans vraiment s'en approcher, à la manière de touristes regardant le résultat de fouilles archéologiques. Il fait encore beau.

– Bon, moi, je rentre, dit Mathilde. Je commence à me geler.

Vassiliev reste un peu. Il la regarde s'éloigner de son pas lent, son gros derrière qui se dandine…

Et soudain, il la voit.

Elle est là, à deux mètres, jetée contre le mur de la

maison, à demi enfouie dans un parterre d'œillets d'Inde. Il s'agenouille.

Il a vu toutes sortes de monstruosités dans sa vie professionnelle, mais ce qu'il découvre lui fait un effet très étonnant. Exotique, pense-t-il, il veut dire tellement étrange… Les fourmis s'y sont attaquées, les vers se sont joints au festin. Il voit ce qui reste des yeux blancs et creusés, la cervicale encore accrochée, la trachée ouverte, le sang coagulé, la nuée de mouches. Toujours agenouillé, il se retourne et regarde la tombe de nouveau puis, à regret, se lève et rejoint la maison.

– Elle est là-bas, la tête…

Mathilde n'est plus sur la terrasse, elle est rentrée dans la cuisine, Vassiliev la trouve adossée au plan de travail, les deux mains plongées dans la poche ventrale de son tablier, où elle serre le Luger 9 mm qu'elle vient de sortir du tiroir.

– À l'angle de la maison, ajoute l'inspecteur.

Mathilde fait signe qu'elle a compris et sans transition demande :

– C'est tout ?

– Oui. Il vaudrait mieux l'enterrer, cette tête, ou la jeter, c'est assez malsain, vous allez attirer toutes sortes d'insectes dans la maison.

– Merci pour le conseil.

Vassiliev se retourne pour partir.

– Nous aurons tout de même besoin de votre déposition, dit-il avant de s'éloigner. Pas pour le chien, pour le

parking. Ce sont mes collègues de Melun qui s'en char-
geront.

Il sort la convocation froissée qu'il a prise dans la
boîte aux lettres à son arrivée, la lisse maladroitement
sur sa cuisse et la tend à Mathilde.

– Vous apportez toujours les convocations à domicile ?

– Je me suis dit, je vais passer, vous savez ce que
c'est…

Mathilde n'a pas l'air de voir très bien, non.

Vassiliev lève la main pour dire au revoir et il ajoute :

– Au revoir. Et merci.

– Je vous en prie, inspecteur… ?

– Vassiliev, René.

– Vassifiev ?

– Non, Vassiliev, avec un *l*.

Il sort une carte de visite qu'il dépose sur la table en
formica puis salue d'un geste et pousse la porte vitrée
pour gagner la terrasse.

Lorsque l'inspecteur, en route vers la grille, se
retourne, il voit Mathilde Perrin, les deux mains dans
la poche ventrale de son tablier, qui le regarde s'éloigner.

Pendant le voyage de retour, il ne comprend pas
pourquoi il s'est focalisé sur cette histoire de tête de
chien qui est sans rapport avec son enquête. Sans doute
parce qu'il n'y avait pas grand-chose à apprendre sur la
présence de cette femme dans le parking.

Oui, ça doit être ça, mais il reste chagriné par cette visite. Ces histoires de voisinage sont terribles. Surtout à la campagne, a-t-elle dit, oui, peut-être, il ne sait pas, il a toujours vécu en ville.

*

Mathilde ne bouge pas pendant un moment. Pensive. Elle regarde l'allée vide.

À côté d'elle, le chiot pousse de petits couinements. Il est agité et nerveux, peut-être sent-il qu'il se passe quelque chose d'électrique, un certain poids de l'air, une atmosphère.

Mathilde ne songe pas à lui, mais à son prédécesseur et à sa tête que cet imbécile d'inspecteur est allé dénicher près de la haie, elle ne comprend pas l'importance que ça semblait revêtir pour lui. On aurait dit que cette affaire de tête de chien était plus importante que la tuerie du parking, c'est étrange.

Elle s'est promis d'aller dire deux mots à Lepoitevin, s'expliquer entre voisins (d'ailleurs elle caresse, dans sa poche ventrale, le Luger Parabellum qui doit servir à trancher la discussion), mais la venue de ce policier lui laisse une fâcheuse impression qui, pour le moment, prend le pas.

Est-il venu jusqu'ici pour une tête de chien ou pour sa tête à elle ?

Il l'a regardée curieusement... Et cette manière

insistante de revenir sur cette histoire… Elle se met à arpenter la terrasse sous l'œil étonné du chiot, que ces déplacements incessants inquiètent. Elle tente de reconstituer la rencontre.

Il vient à cause de sa présence dans le parking, mais commence par aller discuter avec Lepoitevin et il n'est plus question ensuite que de la tête de ce pauvre Ludo, paix à sa tête de clébard.

Ils la prennent tous pour une vieille truie, c'est ça ?

Je vais leur montrer de quel bois je me chauffe ! Commencer par aller voir Lepoitevin ? Non. L'inspecteur est plus dangereux. Lepoitevin ne va pas bouger d'ici tandis que l'autre…

D'un pas décidé, elle va jusqu'au téléphone.

Sur le chemin, elle rencontre le chiot qui s'est aventuré hors de son panier et qui, d'un coup de pied rageur, va s'affaler contre la porte-fenêtre. Elle attrape au passage la carte de visite restée sur la table.

Vassiliev, à Aubervilliers, ça ne doit pas être difficile à trouver.

On va voir qui va couper la tête de l'autre.

14 septembre

Le commandant n'est jamais en retard. Sauf aujourd'hui. Il a enfilé son manteau, a couru jusqu'à la voiture. C'est que, bien qu'il résiste, il est très remué. Mathilde est devenue un élément sans attache. Il n'a pas voulu chercher ce qu'est cette histoire de « la fille de Messin ». Mathilde est en roue libre. Dangereuse au plus haut point. Il n'y a rien d'autre à faire que... Lorsqu'il arrive à la cabine, le téléphone sonne déjà, il décroche.

– Je m'en suis occupé aujourd'hui même. Cette affaire est en passe d'être réglée.

Il ne reste que quelques secondes à l'appareil. Rien n'est encore vraiment réglé, en fait, c'est seulement maintenant qu'il doit s'en occuper.

Il n'est pas sain de rester trop longtemps sur cette place de village déserte. Même aux premières heures du jour. Les habitants voient sans être vus. C'est, avec la télévision, l'unique occupation de bien des villageois et, à leur goût, bien plus instructive. Une voiture s'arrête, tout le monde le sait immédiatement. C'est la dernière fois qu'il utilise cette cabine. Il va retourner à celle qu'il utilisait cinq ou six ans plus tôt, il fait un roulement à échéances irrégulières.

Henri roule dans la campagne. Il a un autoradio, mais ne pense jamais à l'écouter. Il ne parvient pas à se concentrer sur la conduite. Devant ses yeux, des pans de réalité apparaissent puis s'enfuient aussitôt, comme des visions de rêve. Ça berce, c'est un peu hypnotique. Il ne veut pas penser à ce qu'il est en train de faire.

Il s'arrête à une cabine, compose un numéro de mémoire. Laisse un court message, ressort, fait quelques pas, hésite à allumer une cigarette, mais déjà on le rappelle. Une voix claire. Il s'appelle M. Buisson. L'an dernier, lorsque Henri a eu recours à ses services, il se nommait Meyer. L'entretien dure quatre minutes.

Le commandant reprend sa voiture, fait cette fois plus de trente kilomètres, roule jusqu'à rencontrer une cabine qu'il ne connaît pas, qu'il n'a jamais utilisée, très isolée à l'angle d'un mur d'usine, aucun commerçant, juste des passants, un carrefour anonyme. Il compose un numéro, demande à être rappelé.

Il va attendre près d'une heure, d'abord dans sa voiture, ensuite sur le trottoir, il se décide à allumer une cigarette, puis ce sera une seconde en faisant les cent pas, et il commence à avoir froid lorsque le téléphone sonne enfin. Il parle allemand avec son interlocuteur. La conversation dure plus longtemps, la négociation est plus âpre, les explications qu'il donne sont aussi plus complexes. Henri se résout enfin à accepter des conditions qu'ordinairement il refuserait, mais le temps presse.

– Quand pouvez-vous être à Toulouse ?

Son interlocuteur s'appelle Dieter Frei. Il vient de Freudenstadt. Il peut être là dans vingt-quatre heures.

Le commandant raccroche enfin. Il a plus dépensé en deux heures que dans toute son année, c'est ainsi. Et cette fois, sur son budget personnel.

Ce n'est pas ça qui le contrarie, c'est le sentiment qu'une partie de sa vie vient de s'achever.

Une immense tristesse l'envahit.

*

Mathilde s'est levée deux fois au cours de la nuit dernière. Inquiète pour le petit chien, Cookie. Il n'y avait aucune raison, mais elle avait envie d'une présence. Elle a fini par le monter dans sa chambre, il a dormi à côté d'elle. Ce matin, il a couiné, elle a eu juste le temps de l'attraper et de courir le déposer dans le lavabo ! Eh bien, mon bébé, heureusement que maman a encore de bons réflexes, parce que sinon, bonjour le dessus-de-lit, hein ?

Elle l'a descendu dans la cuisine, lui a donné des croquettes, puis elle a siroté son café dans le fauteuil à bascule de la terrasse en le regardant s'aventurer dans le jardin.

Elle a longuement songé à Lepoitevin. Elle va aller s'occuper de lui dans la journée. Pas question qu'après Ludo, il s'en prenne à Cookie. Elle va régler le problème. D'ailleurs, pourquoi attendre l'après-midi, elle ferait aussi bien d'y aller maintenant, ce sera fait.

Elle se lève, dépose son bol dans l'évier et là, s'arrête devant la soucoupe dans laquelle une cigarette a été écrasée, à demi fumée. Elle soupire. Quel gâchis ! Ce n'est pas une bonne chose qu'Henri fume, mais tant qu'à s'empoisonner, il pourrait terminer ses cigarettes, regarde-moi ça... Elle balance le tout dans la poubelle et nettoie la soucoupe.

Elle aurait bien aimé qu'il reste un peu, ils auraient pu aller au restaurant ! Mais au moins, elle est contente qu'il soit venu. J'aurais préféré que ce soit pour un autre motif, faire le déplacement (de Toulouse !) pour m'adresser des reproches... Mais au fond, Mathilde est contente. Il voulait des explications, il en a eu. Et n'a rien trouvé à redire. Dans tous les métiers, il y a des imprévus. Henri l'a très bien compris. Il avait seulement besoin d'arguments pour le cas où le DRH lui demanderait des comptes, mais c'est peu probable. Quand une mission est menée à son terme, on passe à autre chose et voilà tout.

Mais quand elle se dirige vers l'escalier pour monter faire sa toilette, Mathilde est arrêtée par la vue du bloc posé près du téléphone. Et la carte de visite. Elle l'avait oublié, celui-là, le grand con ! Elle prend la carte.

Vassiliev. Elle a noté son adresse, qu'elle a obtenue en appelant les renseignements, 21, avenue Jean-Jaurès à Aubervilliers. Lepoitevin ? Vassiliev ? Elle en a des choses à faire…

Mais tout bien réfléchi, pense-t-elle en montant à sa chambre, il vaut mieux s'occuper d'abord du policier, il ne me dit rien qui vaille, ce type, avec ses questions, son insistance, on se sent tout de suite mal à l'aise face à un gars comme ça, déplaisant, Lepoitevin peut bien attendre ce soir ou demain, de toute manière, il vit dans son potager, il n'est pas bien difficile à trouver.

Pour le flic, c'est une autre paire de manches.

*

Elle savait que ce serait compliqué. Le flic la connaît, connaît sa voiture, et, ce qui ne simplifie pas les choses, il prend le métro. Allez le suivre dans ces conditions ! Elle l'a vu apparaître à la sortie de son bureau de la PJ, sa grande silhouette maladroite l'a confirmée dans sa détermination, elle n'aime pas ce genre d'homme. Elle a flairé chez lui un caractère obstiné. Elle l'a laissé vaquer à ses occupations de son grand pas traînant (je serais son chef, je te lui ficherais un coup de pied au cul… !) et s'est rendue à son adresse, à Aubervilliers.

Une fois, pour une mission à Genève, elle s'est introduite au domicile d'une cible. Rien de difficile, elle avait surpris le type en train de poser la clé au-dessus du chambranle de la porte. Le soir, quand il est rentré, elle était assise dans un fauteuil, dès qu'il a allumé la lumière, elle lui a collé deux balles dans le buffet. Dans les appartements, les maisons, le silencieux s'impose.

En arrivant avenue Jean-Jaurès, elle se demande si elle aura la chance de pouvoir pénétrer chez lui et de l'y attendre, ce qui, bien sûr, se révèle impossible. Le lieu lui-même est impraticable. L'accès se fait par un grand porche qui devait autrefois être équipé d'une porte en bois, depuis disparue, et donnant sur une longue cour distribuant d'un côté les immeubles d'habitation, de l'autre une rangée de garages. L'espace est tout juste assez large pour entrer avec une voiture. Elle a observé le manège des résidents. Ils sont obligés de rouler très doucement, la tête quasiment hors de la portière, pour ne pas rayer la carrosserie. Si le grand con était en voiture, ce serait un plan parfait. Se poster à l'intérieur, juste après le porche. Le type avance prudemment, quand il arrive dans la cour, vous profitez de ce qu'il a baissé sa vitre pour lui coller une balle dans la tête et vous sortez tranquillement, vous voilà sur l'avenue, ni vu, ni connu. Quasiment un cas d'école.

Sauf que le Russkoff voyage en métro.

Ce lieu restant néanmoins le plus propice, Mathilde décide d'adapter sa stratégie à une arrivée à pied. Du fait que les conducteurs sortants sont obligés de traverser le trottoir pour gagner la chaussée, un large rétroviseur a été fixé à l'extérieur pour leur permettre de surveiller le passage des piétons. Mathilde a profité du calme de l'après-midi pour entrer dans la cour. Sur la gauche, un petit auvent abrite un atelier où elle a vu deux hommes équipés de loupes d'horloger, penchés sur des mécanismes de montre. La nuit, quand l'atelier est fermé, l'auvent est plongé dans la pénombre et le rebord en ciment de la petite verrière fournit un siège tout à fait convenable pour attendre dans le noir. De là, elle verra, dans le rétroviseur, le passage des piétons sur l'avenue et donc l'arrivée du grand flic. Si elle se lève et s'avance alors de deux mètres, quand il débouchera à l'intérieur de la cour, il se trouvera face à elle, il n'aura pas le temps de dire ouf. Seul problème : elle ne connaît pas ses horaires, ses habitudes. Rentre-t-il seul ? Elle n'y a pas prêté attention. Avait-il une alliance ? Intuitivement, elle ne l'imagine pas marié, avec des enfants. Plutôt le genre à être encore puceau au seuil de la quarantaine. Rentre-t-il tard ? C'est probable, vu son métier.

Mathilde a beau chercher d'autres solutions, celle-ci reste la meilleure, la plus sécurisée. Elle a opté pour un classique Browning 7,65 exhumé d'un carton à chaussures, elle ne se souvient pas à quelle occasion elle s'en est déjà servie, ça doit remonter à loin.

L'atelier d'horlogerie ferme précisément à dix-huit heures. Vers vingt heures, lorsque la nuit est descendue et que le porche est plongé dans la pénombre, Mathilde quitte sa voiture. Elle a surveillé l'entrée et sait que le grand flic n'est pas rentré chez lui.

Elle va s'installer dans la cour.
Pour assurer le comité d'accueil.

*

Vassiliev est repassé à la brigade, il a rédigé ses rapports de la journée, jeté un œil sur ceux des collègues qui sont allés interroger les usagers du parking. Personne n'a trouvé quoi que ce soit de bien utile. On lui dit que le commissaire Occhipinti est extrêmement nerveux, Vassiliev n'a pas de mal à le croire. Cette affaire du parking liée maintenant à celle de Quentin va devenir un terrible boulet à traîner.

La veille, il ne s'est pas rendu à Neuilly. Il lui a semblé qu'après l'échange avec Tevy et la perspective de la revoir ailleurs que chez Monsieur, revenir aussitôt aurait été de mauvais goût, comme d'un homme pressé de voir tenue la promesse qui lui a été faite.

Une fois à Neuilly, il ne ressent plus que de la confusion. Il s'imaginait naïvement que cette promesse de Tevy allait se lire sur son visage. Or elle a le même sourire radieux que d'habitude et l'accueille avec les mêmes mots, comme si tout ça n'avait pas existé. Il en vient à douter qu'ils se soient bien compris.

Monsieur est plus vivant ce soir que les jours précédents.

– Bonsoir, René, ça fait plaisir de te voir », dit-il, mais il ne s'intéresse pas à lui.

Il se rend aussitôt dans sa chambre où il se met à marmonner.

– J'arrive, Monsieur, ne vous énervez pas ! dit Tevy.

Vassiliev l'entend qui installe Monsieur dans le fauteuil face à la télévision.

– Il a un peu de mal à mettre la cassette VHS dans le magnétoscope, explique-t-elle en revenant au salon.

René tend l'oreille. Il reconnaît la musique du film.

– C'est *L'Armée des ombres*, non ?

Tevy fait oui de la tête.

– Il ne l'a pas déjà vu ?

– Quatre fois cette semaine. C'est une permanente découverte.

Les absences de Monsieur sont sporadiques. Et imprévisibles.

– Il perd la mémoire des choses pendant une heure ou deux, puis il reprend ses esprits et peut rester lucide tout le reste de la journée.

– Vous vous êtes rendu compte de cela bien avant de me le dire, n'est-ce pas ? demande René.

Tevy rougit. René se précipite :

– Ça n'est pas un reproche !

Il lui saisit la main et maintenant qu'il la tient, lui-même surpris, un silence s'installe dont ils ne savent pas quoi faire. Ils restent ainsi de longues minutes. Puis Tevy se lève, va voir dans la chambre si Monsieur n'a besoin de rien.

– Vous voulez m'aider à l'allonger, René, il s'est endormi…

Une fois Monsieur couché et la lumière éteinte, ils reviennent au salon.

– Il y a de la soupe et des fruits, dit Tevy.

*

C'est étrange qu'une femme aussi impétueuse que Mathilde soit capable d'une telle patience. Elle est vraiment faite pour ce boulot. Il y a plus de trois heures qu'elle est assise sur le rebord de ciment et, hormis les fourmis dans les pieds, elle ne ressent aucune fébrilité, juste un peu de froid, elle resserre son manteau et replonge la main dans sa poche pour saisir le pistolet. Après quoi elle relève la tête et se remet à fixer le rétroviseur qui montre les rares passants, à cette heure-ci, de l'avenue Jean-Jaurès.

Il y a peu de mouvement dans cette cour. Quelques voitures sont entrées au pas. Les propriétaires ont relevé les portes des garages puis les ont refermées. Vers vingt-deux heures, a commencé le ballet de la descente des poubelles, à l'autre bout de la cour. À l'aube, quelqu'un doit les amener sur le trottoir avant l'arrivée des éboueurs.

De toute la soirée, personne ne vient la déranger, sauf le froid qui tombe maintenant et la contraint à faire quelques pas discrets et des mouvements avec les mains pour les empêcher de s'engourdir. Elle ne peut jamais rester loin de l'angle où elle voit dans le rétroviseur, il suffirait qu'elle s'éloigne pour que ce soit justement le moment…

Le voici !

Pas de doute, cette silhouette longue et maigre. Mathilde sort son pistolet. Elle en a fait l'expérience de multiples fois depuis le début de son guet : entre le moment où une personne apparaît dans le rétroviseur et celui où elle passe devant la porte cochère, Mathilde doit compter jusqu'à neuf.

L'inspecteur sort du cadre du miroir. Mathilde compte.

À six, elle fera trois pas en avant.

À neuf, l'inspecteur passera sous le porche.

À onze, il sera devant elle.

À douze, il sera mort.

À cinq, deux voix se font entendre sur sa gauche. Mathilde fait un bref mouvement en arrière, tend son arme.

– Grouille-toi, dit une voix.

Jeune. À trois ou quatre mètres d'elle.

Machinalement, Mathilde continue de compter. Elle en est à huit lorsqu'une brusque lumière éclaire le porche. Une allumette. Ils sont deux, des garçons, douze ou treize ans, qui se mettent à tirer fiévreusement sur une cigarette qu'ils se partagent.

– Pet !

C'est Vassiliev qui passe sous le porche.

Ce n'est pas la première fois qu'il les surprend, ces deux-là, ça l'amuse toujours. Pour ne pas les gêner, il tourne la tête de l'autre côté.

– Allez, une dernière ! dit l'un.

– Dépêche, dit l'autre, faut que je remonte !

La cigarette tombe au sol, s'éteint sous un coup de pied.

Les garçons courent vers l'entrée de l'immeuble où Vassiliev les a précédés.

Mathilde est furieuse.

Si elle ne retrouve pas rapidement une occasion de faire sa fête au grand con, elle va regretter de ne pas les avoir liquidés ce soir, lui et les gamins.

15 septembre

François Buisson quitte la banlieue de Bruxelles aux premières lueurs du jour au volant d'une fourgonnette L309D Mercedes. Il devrait être à Melun vers neuf heures. La commande est tardive et il n'est pas dans ses habitudes de céder à la précipitation. Son interlocuteur a dû se montrer convaincant et, dans ce domaine, la seule force de conviction, c'est l'argent. Le contrat en vaut la peine, il l'a accepté. Le tueur est comme le commerçant, l'état d'urgence fait sa fortune.

Le fourgon, marqué sur les côtés au nom d'une entreprise de nettoyage de Mons qui n'a jamais existé, est garé dans un box fermé de la banlieue. Il s'en sert peu, mais tout est prêt en permanence, il suffit de mettre la clé de contact et la mission peut commencer.

Buisson n'a jamais rencontré de difficultés insurmontables, mais il se tient sur le qui-vive dès qu'il est au volant. L'aller pose rarement problème, le retour nécessite beaucoup plus d'attention et de précautions.

À la différence du commandant, qu'il n'a d'ailleurs

jamais vu, Buisson adore la radio en voiture. Il l'écoute tout le long du trajet. Il conduit sobrement, se montre très respectueux du code de la route. Irréprochable, Buisson.

C'est un homme de cinquante-quatre ans. Ne cherchons pas de nuances pour le décrire, c'est un petit gros. Il a le crâne dégarni sur les côtés, des yeux marron, une voix assez basse et de petites jambes capables de courir très vite. Penser que cet homme un peu enveloppé a le ventre mou serait une grave erreur. Il pèse quatre-vingt-cinq kilos. Il a été policier pendant une dizaine d'années. C'était un excellent élément. Ce n'était pas sa fonction principale, mais, obtenant régulièrement les notes maximales aux exercices de tir, il était considéré comme un tireur d'élite.

Le divorce l'a plongé dans une sévère dépression. L'alcool s'en est mêlé, il lui a fallu quitter la police avant que les choses s'enveniment, il a coupé court à toutes les camaraderies, s'est enfermé chez lui. Il a souvent pensé au suicide. C'est le métier qui l'a sorti du marasme. On lui a confié une mission, presque par hasard, ça lui a fait beaucoup de bien de retravailler. Il a réalisé le travail avec un soin et une efficacité tels qu'il a été étonné qu'on ne fasse plus appel à lui. Puis un jour, il a surpris une filature. On réfléchissait à la possibilité de le recruter, on voulait savoir qui il était exactement. Cette nouvelle a réenchanté son existence. Il s'est plié à une discipline de vie très stricte et il a offert le spectacle d'un homme à qui on peut faire confiance.

Et enfin, on l'a rappelé. Pour des missions simples, puis de plus en plus complexes. Jusqu'à la trouvaille finale de Buisson consistant à proposer la vente et l'après-vente. C'est ce qui a fait sa fortune. Il n'accepte pas plus de trois contrats par an, il s'en tient même plus volontiers à deux.

Oui, le métier lui a sorti la tête de l'eau, il est aujourd'hui un homme équilibré et heureux.

Pas de lunettes, il a une vue exceptionnellement bonne. Il porte un costume strict et sans imagination qui le fait passer pour un technicien en nettoyage industriel. C'est la profession indiquée sur tous ses papiers et sur sa déclaration d'impôt.

Il voyage avec un sac de dimensions modestes pour son linge, sa trousse de toilette et un attaché-case. Sa mission ne doit pas durer plus d'une journée si tout se passe bien. Deux jours dans le pire des cas.

Et Buisson est un calculateur, il se trompe rarement.

Il éteint enfin la radio lorsqu'il voit le premier panneau indiquant Brie-Comte-Robert, mais au lieu de poursuivre vers Melun, il tourne sur la droite et roule longuement sur une voie déserte maculée de blanc. Ces traînées de ciment le dispensent de consulter sa carte, il se sait dans la bonne direction.

Et il a raison. Huit kilomètres plus loin, il s'arrête sur le parking d'une usine où sont garées les voitures des ouvriers et des employés, une trentaine de véhicules. Il observe la porte grillagée en fer qui donne accès aux installations. C'est un système simple de cadenas industriels qu'il ne sera pas difficile de forcer et de refermer proprement après usage. Son regard se promène ensuite sur les vastes silos à goudron et à béton. Il faudra monter le corps à l'épaule pour le balancer dans un bac, mais c'est quelque chose que Buisson ne craint pas, il en a porté bien d'autres. Il repère les éclairages qui, la nuit, balayent toute la zone. Il y aura deux courtes distances à parcourir dans la lumière, mais pour le reste, il ne devrait pas rencontrer trop de difficultés, rien d'insurmontable en tout cas.

Il reprend alors la direction de Melun.

À partir de cet instant, silence, il est très concentré sur la route et sur sa mission.

*

Rien à faire, aucune alternative. Mathilde ne voit que cette entrée d'immeuble pour intercepter l'inspecteur. Aussi le lendemain, dès dix-neuf heures, se gare-t-elle à proximité et attend-elle que le crépuscule soit favorable à sa mise en position. Nerveuse, elle tripote le Browning et, pour passer le temps, tente de se souvenir de la mission pour laquelle il lui a été remis par les Fournitures. Elle n'y parvient pas. C'est comme dans tous les métiers, quand on a une longue expérience, tout se mélange un peu, se dit-elle. Elle en est là de ses réflexions lorsque surgit l'inspecteur, il marche de son grand pas nonchalant sur le trottoir. Elle est tellement furieuse de le voir arriver trop tôt et saccager tous ses plans qu'elle doit se retenir de sortir et de lui en coller deux dans le buffet. Elle le hait. Qu'est-ce qu'il fait à rentrer chez lui à cette heure-ci, il n'y a vraiment qu'un fonctionnaire pour avoir des horaires pareils ! Encore raté ! Elle tape du poing sur le volant, prend une longue inspiration.

Peut-être va-t-il ressortir ? Sait-on jamais…

S'il sort et s'engouffre dans le métro, elle sera restée là pour rien, mais c'est ainsi, c'est le métier. Comme les acteurs de cinéma, on passe beaucoup de temps à attendre.

Elle décide tout de même de patienter un peu. Elle se donne une heure, après quoi, elle rentre à la maison. Elle a mis Cookie sur la terrasse, enveloppé dans des couvertures, pas question qu'il prenne l'habitude de pisser sur le carrelage de la cuisine. Cette pensée la fait revenir à la visite d'Henri. Il n'avait pas tant de choses que cela à vérifier. Un voyage depuis Toulouse était-il justifié ?

C'est avant tout pour la voir qu'il est passé.

C'est drôle d'ailleurs, ils n'ont rien échangé de très personnel, de très intime, somme toute. Ils ont parlé boutique, Henri est reparti rassuré, il aurait quand même pu s'intéresser à la vie de Mathilde, lui demander comment elle allait, non, tout de suite des questions pratiques, des demandes de précisions, c'est d'un pénible ! Elle le revoit, fumant élégamment sa cigarette… Que de bons souvenirs elle a de lui, que de belles images lui restent du temps où ils se voyaient presque tous les jours, ça remonte à loin, bien sûr, mais ce fut la plus merveilleuse période de sa vie. Pas seulement parce qu'elle était jeune, mais parce qu'elle se sentait utile… Et qu'il y avait Henri. Elle se reproche aujourd'hui de l'avoir fait marcher. Chaque fois qu'il tentait une approche plus personnelle, elle le mettait à distance, elle n'allait pas non plus se jeter à son cou… Quand même, est-ce que je n'ai pas laissé passer ma chance ? Et même avant-hier… Est-ce qu'elle n'aurait pas dû profiter qu'il était là pour avoir une explication franche ? Henri, je te le demande, est-ce que nous sommes trop vieux, toi et moi, pour envisager quelque chose ? As-tu une meilleure amie que moi ? Henri aurait-il répondu que oui, qu'il avait une femme dans sa vie ? Mathilde sourit. Non. Les femmes sentent ces choses-là. Henri est un homme seul et même très seul et même désespérément seul, et c'est pour cela qu'il est venu la voir, prenant le prétexte de détails de travail, voilà la vérité ! Et finalement, il n'a pas osé. Et elle non plus. Que se passerait-il si c'était elle qui venait le trouver ? Chez lui. Elle ne lui a rendu que deux visites en trente ans, elle revoit la maison basse et longue, le jardin anglais, ça lui ressemble tellement. L'envie d'y aller, de s'expliquer une bonne fois avec lui, commence à la tarauder…

C'est lui ! L'inspecteur ! Il vient de déboucher du porche ! Il est en costume, on dirait qu'il se rend à un enterrement. Mathilde serre le volant de toutes ses forces. Il se dirige vers le métro, mais avant qu'elle ait eu le temps de jurer, il hèle un taxi qui passe sur l'avenue et grimpe ! Mathilde démarre aussitôt, l'espoir renaît.

S'il lui offre une fenêtre, même minuscule, elle se promet de ne pas la manquer.

La Renault 25 prend la roue du taxi.

Rien qu'à voir sa nuque par la vitre arrière, elle sent sa colère revenir, intacte. Elle croit entendre encore sa voix traînante : « Et vous l'avez enterré où, votre chien ? »

Quelque chose en elle est en train de bouillir de nouveau, mais ce n'est que la crosse de l'arme qu'elle a posée sur ses genoux, sous son imperméable.

*

Vassiliev redoute cette soirée.

Parce qu'il ne sait jamais dans quel état il va trouver Monsieur. Il se fait aussi le reproche de ne pas avoir suffisamment montré à Tevy combien il apprécie son travail, le mal qu'elle se donne. Il doit y avoir des moments bien difficiles. Elle est toujours souriante, mais ce n'est que la façade. Il va lui parler ce soir. Ça n'est quand même pas bien difficile de dire merci ! Il redoute aussi cette soirée parce qu'ils sont restés sur un moment de suspension, Tevy et lui. Ils se sont dit les choses, mais sans se les dire vraiment. Il a été question de se revoir, mais quand ? Je suis un sacré empoté, voilà la vérité… Je devrais me conduire autrement, être offensif. Mon Dieu, offensif, lui…

Malgré les reproches qu'il se fait, il se comporte exactement comme d'habitude. J'aurais dû apporter des fleurs, se dit-il.

– Bonsoir, René, vous êtes là de bonne heure, dites-moi…

Toujours souriante… Il balbutie quelques mots auxquels elle ne prête plus attention depuis longtemps et la suit dans le couloir jusqu'au salon. La chambre de Monsieur est éteinte.

– Je le laisse dormir encore un peu, je l'ai trouvé fatigué aujourd'hui.

Elle s'installe à la table sur une chaise. C'est une chose qu'il remarque pour la première fois, jamais elle ne prend place dans un fauteuil comme si elle était chez elle. Non, elle est la garde-malade de Monsieur.

Vassiliev s'installe en face d'elle. Elle le fixe calmement. Est-ce le moment de lui parler ?

– Comment s'est passée cette journée ? demande-t-il.

*

La nuit est tombée. Mathilde, les mains serrées dans son imperméable, attend. L'inspecteur vient de pénétrer dans un immeuble. Debout sur le trottoir, elle en observe la façade et guette chaque fenêtre. Plusieurs d'entre elles sont allumées, comment savoir... Elle s'interroge sur la raison qui fait venir un inspecteur aussi bas de gamme dans les beaux quartiers. Une maî- tresse ? Elle étouffe un rire. Une maîtresse, lui ? Dans les beaux quartiers ? Un dîner en ville ? Elle en est là de ses questions quand une lumière s'allume. Une fenêtre. Deuxième gauche. Bien sûr, il y a toujours une part de hasard, mais une autre s'allume, au même étage. Elle attend encore quelques secondes, mais plus rien ne se produit, rien ne bouge sur toute la façade de l'immeuble. Mathilde referme les pans de son imper- méable, la main droite serrée sur son pistolet.

Elle entre. À gauche, la loge de la concierge qui doit roupiller comme un sonneur. Elle consulte le panneau avec la liste des occupants. Deuxième gauche. De la Hosseray. Ça lui semble bizarre, ça ne colle pas vrai- ment avec la tête de cet escogriffe d'inspecteur... Elle a un doute. Elle passe toute la liste en revue. Aucun nom n'éveille quoi que ce soit dans son esprit. Elle se fie à son intuition, il n'y a rien d'autre à faire. À peine l'ascen- seur a-t-il atteint le premier étage que le nom « de la Hosseray » lui est déjà familier. Ça ne peut être que ça. Elle ouvre très lentement, se glisse hors de la cabine et pose son sac en travers de la porte pour la bloquer.

Elle s'avance, respire à fond. Elle se sent très motivée. Dans son esprit passent la tête de Ludo sanguinolente sous la haie et celle de ce grand inspecteur. Elle a le sentiment d'arriver au bout de sa course.

On va arrêter de l'emmerder maintenant ! Son rythme cardiaque redevient peu à peu normal, sa respiration se fait plus lente. Elle sort les deux mains de son imperméable, tient la main droite fixement devant elle, le canon du revolver dirigé bien en face, et de la gauche, elle sonne.

Deux coups.

*

Tevy penche la tête. Qui peut bien sonner à cette heure-ci ? Un voisin ?

– Je reviens, dit-elle.

Avant que Vassiliev esquisse un geste, elle est debout et file dans le couloir.

Tevy ne regarde jamais par le judas. Quelqu'un sonne, on lui ouvre, on ne joue pas à cache-cache avec le destin.

Elle découvre une femme âgée en imperméable, très maquillée, bien coiffée, elle a le temps de remarquer qu'elle prend soin d'elle, mais au moment où elle ouvre la bouche pour lui demander ce qu'elle veut, elle voit le pistolet braqué sur elle.

Mathilde lève le bras devant elle. Elle ne s'attendait pas à une bonniche. Une Jaune, en plus. Elle tire aussitôt au milieu du front, la jeune femme s'écroule.

Tevy ne saura jamais que le tatouage sacré ne protège pas du 7,65 mm.

Mathilde contourne le corps de la fille et s'avance dans le couloir.

Vassiliev n'en revient pas.

C'est un coup de feu qu'il a entendu ?

Il se lève, se précipite, mais pourquoi n'est-il jamais armé !

Il débouche à l'angle du couloir et voit devant lui, à deux mètres, la femme qu'il a interrogée chez elle.

Pourquoi je n'ai pas écouté mon intuition ?

Vassiliev n'a pas le temps de pousser sa méditation plus longtemps. La première balle le cueille dans la poitrine à la hauteur du cœur. Mathilde s'avance, lui en colle une seconde dans la tête et s'en retourne.

Elle ramasse son sac, entre dans la cabine de l'ascenseur, appuie sur le bouton du rez-de-chaussée. Elle est calme parce qu'elle est soulagée. On va enfin arrêter de l'emmerder !

Tout l'immeuble résonne encore du bruit des coups de feu. Mais il faudra du temps avant que quelqu'un se risque à aller voir ce qui se passe. D'ailleurs Mathilde ouvre la porte extérieure et traverse sans encombre la rue déserte jusqu'à sa voiture.

À l'instant de s'installer au volant, elle jette un dernier coup d'œil aux fenêtres du second étage.

À celle qui un peu plus tôt était éteinte, elle voit un vieil homme très maigre, dans une robe de chambre écossaise, qui, hagard, regarde la rue comme s'il y cherchait quelqu'un. Il a un visage ridé, épuisé, des yeux perdus. Il semble même, mais Mathilde est un peu loin pour le vérifier, que ses lèvres tremblent.

Il est dans un sale état. J'aurais mieux fait d'abréger ses souffrances à celui-là. Mais on ne peut pas être partout, se dit Mathilde en démarrant.

Direction Melun.

J'espère que Cookie n'a pas pris froid, comme ça, sur la terrasse.

J'ai pas envie de passer la journée de demain chez le vétérinaire, moi !

*

Au téléphone, Monsieur n'a pas su s'expliquer correctement, mais il s'est fait comprendre suffisamment pour que deux policiers en uniforme arrivent, à peu près en même temps que les voisins qui poussaient des cris d'orfraie.

Ils sont ensuite venus par dizaines, il n'y a plus moyen de circuler dans l'appartement…

Monsieur ne veut pas revoir les corps allongés dans le couloir, ça lui fait une peine infinie. Il reste dans son fauteuil, remisé dans un coin du salon par les techniciens que sa présence gênait. Il ne pleure pas, et c'est étrange de se sentir habité par une telle peine sans que rien ne se voie. Quelqu'un a murmuré : « Tu crois qu'il se rend vraiment compte… ? » Une jeune femme en uniforme, assez jolie, lui répète : « Vous avez de la famille ? Des gens qu'on pourrait prévenir ? » Il désigne le couloir d'une main vague, toute sa famille est là, allongée au sol, dans une mare de sang.

Les techniciens, les policiers en uniforme, les policiers en civil, les projecteurs, tout ça est très pénible. D'autant qu'il règne une tension très particulière parce que cette fois la victime est un policier… Toute la PJ est sonnée par ce meurtre.

L'assassinat d'un officier de son unité est une mauvaise nouvelle pour le commissaire Occhipinti, d'autant qu'il perd, avec l'inspecteur Vassiliev, un souffre-douleur pratique, mais aussi, il le reconnaît, un bon enquêteur.

Sur place, il découvre le corps de son subordonné allongé dans le couloir dans une mare de sang et le trouve encore plus grand mort que vivant. Il a de la peine pour ce type, si jeune. Il demeure les mains dans les poches pendant que les techniciens vibrionnent autour de lui, il hoche la tête, quel gâchis. Il se déplace pour voir le corps de la jeune femme. Il est surpris que ce soit une Asiatique.

– La sœur des frères Tan, lui dit un inspecteur.

Occhipinti se retourne. On lui tend la carte d'identité de la jeune femme, retrouvée dans son sac à main. Tout le monde ici sait que les frères Tan sont des petites frappes d'une rare brutalité qui sévissent dans le deal de trottoir et la prostitution bas de gamme.

– Elle était infirmière, c'est elle qui s'occupait de…

L'inspecteur désigne de son pouce, par-dessus son épaule, le vieillard au regard éteint tassé dans un fauteuil. Le commissaire estime assez probable que le tueur soit venu pour la jeune Cambodgienne dont les deux frères sont des crapules notoires et que l'inspecteur soit un dommage collatéral. Il est très fier de son intuition qu'il appelle « mon flair » parce qu'il est assez cabot. On va de toute manière pousser les investigations dans les deux directions mais ce serait bien la première fois que les frères Tan seraient mêlés à une sale affaire sans y être pour quelque chose.

Selon les informations recueillies sur place, le vieillard apathique qui fait corps avec son fauteuil est un ancien préfet. Devant ce qui reste du haut fonctionnaire, Occhipinti, effondré, engloutit une poignée de cacahuètes. Il tente de l'interroger. Le vieil homme ne semble pas comprendre clairement ce qu'on lui demande. Occhipinti se tourne vers la jeune policière. Monsieur entend « … comprend ce que je dis ? … sûre… ? ». Le commissaire revient vers lui :

– Et donc, vous n'avez rien vu, juste entendu, c'est ça ?

Monsieur fixe le commissaire sans intention et il sent qu'il devrait se comporter autrement. Manifester de l'émotion, ou de la colère, ou autre chose, mais pas res-

ter là à regarder son interlocuteur avec cette fixité. Ce
gros commissaire qui pue la cacahuète répète ses questions de manière insistante, on dirait un disque rayé. Si
Monsieur ne fait pas bonne figure, les services sociaux
ne vont pas tarder à rappliquer. Alors Monsieur puise
dans ses réserves :

– Oui, c'est ça. J'ai entendu. Je n'ai rien vu.

Sa prestation ne doit pas être trop mauvaise parce
que le commissaire se tape sur les genoux et se lève.

C'est aussi que le juge vient d'arriver. Il regarde
longuement la scène de crime en écoutant Occhipinti
lui résumer les faits. Et il se montre d'accord. On
envoie aussitôt chercher les frères Tan. Parallèlement,
une partie de l'équipe décortiquera les affaires dont
Vassiliev était chargé. On va remonter assez loin dans
le temps, jusqu'à la sortie de prison de sujets susceptibles d'avoir nourri pour celui qui les a arrêtés une
rancune tenace et criminelle. C'est quand même peu
probable, pense Occhipinti. Vassiliev enquêtait sur des
viols, des crimes sexuels, les coupables ne sont pas du
genre à se venger avec du calibre pour la chasse au
sanglier…

Restent aussi l'affaire Maurice Quentin, cette plaie, et
l'affaire Béatrice Lavergne avec la mort de la vendeuse,
mais on voit mal ce que Vassiliev aurait trouvé sans le
dire et qui aurait pu entraîner son exécution.

La piste des frères Tan est pour le moment la plus
solide.

Occhipinti espère résoudre cette affaire rapidement. Il a déjà sa dose avec Quentin et Lavergne, il n'a pas envie de porter, en plus, la mort non résolue d'un flic de son service. Très mauvais pour l'avancement.

Au départ du juge, il appelle la jeune policière, lui murmure quelque chose à l'oreille en fixant Monsieur tout raide dans son fauteuil. Elle semble d'accord avec le commissaire qui ne tarde pas, lui aussi, à quitter les lieux. D'ailleurs, peu à peu, tout le monde s'en va. Il ne reste que la jolie policière et deux collègues. C'est elle qui a pris l'initiative. Elle farfouille dans l'appartement, demande où elle pourrait dénicher une valise ou un sac de voyage.

– Vous n'avez pas le droit de m'emmener, dit Monsieur.

Elle a trouvé un sac mais elle mesure le travail à accomplir : rassembler tout ce qui est nécessaire à un homme de cet âge et dans cet état… Il vaudrait mieux laisser les services sociaux s'en charger.

– Je veux rester chez moi, vous n'avez pas le droit…, insiste Monsieur.

Les trois policiers chuchotent. Ils interrogent les voisins qui lèvent les bras au ciel, s'il fallait en plus s'occuper des vieux, à Neuilly, ça deviendrait invivable !

Ils abandonnent. La jeune femme pose une carte de visite près du téléphone, elle a entouré un numéro, c'est là qu'il faut appeler en cas de problème.

Après le départ de la police, le silence retombe dans l'appartement. Monsieur regarde tout ce que Tevy a laissé derrière elle, ses bibelots, ses dragons.

Ses porte-bonheur.

16 septembre

Le commandant s'est toujours réveillé à la même heure exactement, six heures vingt. Il suppose que c'est l'heure de sa naissance. Cette nuit est donc une exception notable. La première fois depuis longtemps, depuis la guerre, qu'il ne ferme quasiment pas l'œil. Et pendant le peu qu'il a dormi, il a été agité de mauvais rêves glacés. Il a la tête lourde, la bouche pâteuse. Il se souvient rarement de ses rêves, il se plaît à penser qu'il a un surmoi en béton armé. Il n'en est rien, évidemment. Cette nuit, un nombre considérable d'images lui sont revenues à l'esprit qu'il croyait oubliées. Partout il y avait Mathilde. La dernière image qu'il a conservée de son cauchemar, c'est Mathilde souriante, resplendissante, dans une robe de mariée blanche, tachée de sang comme un tablier de boucher.

Aux premières lueurs de l'aube, Henri commence à faire le ménage. Il sort ce qu'il appelle lui-même ses antiquités. Henri est un homme prévoyant, calculateur, il ne conserve aucun document compromettant. Il a mis au point, il y a trois décennies, un labyrinthe complexe de pistes et de fausses pistes, de noms d'emprunt, de boîtes aux lettres fictives, d'autres réelles, de lieux en trompe-l'œil qui rendraient toute recherche sur ses agissements longue et chaotique, lui laissant le temps de se faufiler et de disparaître. Il a trois comptes numérotés et les rarissimes documents qu'il conserve, susceptibles de le mettre en position de négocier avec le DRH en cas de nécessité, sont disséminés en différents endroits auxquels il est seul à accéder.

Cette question a été au centre de sa nuit.

Puisque sa vie est entrée dans une zone de turbulences du fait des dérapages de Mathilde, faut-il actionner le plan B, négocier avec le DRH une paix des braves : on le laisse partir en échange de son silence… ?

Il est arrivé à la conclusion que cela ne servirait à rien.

S'il a mis en place, de si longue date, un plan de fuite sophistiqué, c'est qu'il sait que le DRH se montrera apparemment d'accord, mais qu'il lancera la meute, cela prendra quelques semaines, voire quelques mois, mais tôt ou tard un Buisson ou un Dieter Frei surviendra dans son dos et soldera les comptes. Et sa carrière.

Il ne conserve chez lui que des documents officiels sur sa vie officielle et, volontairement, un ensemble de vieux papiers, lettres, anciennes factures, correspondances diverses, photographies, toutes choses dont il se serait bien séparé, mais qu'il pense nécessaires au décor

d'un homme de son âge vivant seul et retiré. Une perquisition à son domicile, improbable jusqu'aux exploits
récents de Mathilde qui redistribuent les cartes, confir-
merait la vie d'un homme normal et sans histoire.
L'année où il a mis en place l'organisation complexe de
sa protection, Mathilde ne figurait pas encore dans son
répertoire de collaborateurs. Mais elle est présente dans
ses archives personnelles comme une ancienne camarade de la Résistance, aujourd'hui honorable veuve du
Dr Perrin. Quand Henri l'a fait entrer dans le circuit, il
a hésité à se débarrasser de ces souvenirs, mais en cas
d'ennuis leur absence serait plus suspecte que leur présence, il a tout conservé.

Il est cinq heures du matin.

Il y a vingt-quatre heures que Buisson s'est mis en
route, il ne devrait pas tarder à être à pied d'œuvre, si
ce n'est déjà le cas. Il se demande une nouvelle fois
comment les choses vont se passer. Mais son esprit
s'évade dès qu'il tente de penser à la suite des événements, quelque chose en lui se refuse à imaginer la réalité concernant Mathilde.

Revenant à la cuisine avec un bol de thé brûlant,
Henri s'installe derrière son bureau à cylindre, tire une
boîte cartonnée et en sort tout ce qui concerne Mathilde.
Il y a quelques correspondances des années cinquante et
soixante, il reconnaît son écriture nette et claire. Lettres
et cartes postales commencent invariablement par
« Mon cher Henri ». Une carte d'Espagne, elle y a passé

l'été avec son mari (« Raymond adore cette chaleur que je trouve éprouvante »), une lettre de New York à en-tête du Roosevelt Hotel (« S'il n'y avait pas les corvées professionnelles de mon mari, je passerais mon temps dans les rues »). Elle ne cesse de se plaindre de son époux qui pourtant, le pauvre, a l'air de faire ce qu'il peut. Des cartes d'anniversaire aussi. Il ne les a pas toutes conservées, mais Mathilde n'a jamais manqué une année. Quand il s'en est aperçu, Henri en a jeté de nombreuses, l'empilement des cartes lui entamait un peu le moral. « Toujours jeune, je suis sûre », écrit-elle, alors qu'ils ne se sont pas vus depuis longtemps. Plus tard : « Tu seras le plus beau centenaire de l'hospice… » Voici une lettre de 1955. Henri y a attaché une photographie noir et blanc à l'aide d'un trombone. Ils sont tous deux côte à côte, droits comme des I. Le visage de Mathilde disparaît à moitié derrière la nuque et le képi de cérémonie du général Foucault qui lui donne l'accolade. Henri, concentré et souriant, porte sur la poitrine la médaille de la Résistance reçue un instant plus tôt. La lettre de Mathilde est arrivée quelques jours après la cérémonie. Il l'a attribuée à un coup de spleen, elle évoque de vieilles choses avec une nostalgie un peu amère : « Tu te rends compte, Henri, avec tout ce qui s'est passé, nous avons aujourd'hui la reconnaissance du peuple français ! Il m'arrive de comprendre les soldats qui se sont rengagés. La guerre me manque, bien sûr, parce que nous étions jeunes, mais surtout parce qu'il y avait quelque chose à faire. » Elle a souligné « quelque chose ».

Mal classée, il trouve une photo pâlie, c'est Mathilde dans une robe imprimée. Il retourne le cliché : 1943. Elle pose près d'une Traction Avant. Il l'observe attentivement et ressent plus que jamais l'attraction sexuelle qui se dégage de sa beauté et la fascination qu'exhale la cruauté qu'il lui connaît. C'est dans ce paradoxe que réside le charme que cette femme a toujours exercé sur lui.

Une carte sur un bristol. 1960. Funérailles de Raymond Perrin. « Merci d'être passé, Henri, ta présence (même brève) m'a fait un immense plaisir. Quand reviendras-tu ? Attends-tu que ce soit moi qui sois morte ? »

Henri vérifie qu'il n'a rien oublié. Il fourre le tout dans la cheminée, allume le feu et boit son thé froid. Il regarde les flammes, un peu hypnotisé, puis il s'ébroue, la contemplation du feu rend idiot.

Parce qu'un pan entier de sa vie est en train de disparaître dans la cheminée, Henri songe à lui-même.

Il en revient à ce constat qui lui est toujours apparu comme une évidence. Toute sa vie il n'a eu qu'une seule véritable passion : agir sur les événements. Sa réussite ou son autorité ne tient pas à son sens de l'organisation ou du commandement, mais à cette frénésie secrète, ce vertige qu'il ressent à être celui par qui les choses arrivent. Envoyé du destin, si ce n'est le destin lui-même. Il pense à toutes ces vies qu'il a défaites et à toutes celles, des survivants, dont il ne sait rien, mais dont il a modifié le cours. Il a soudain la vision d'une immense arborescence dans laquelle figureraient tous ces morts et ces vivants, et la somme abyssale de toutes les conséquences que ces disparitions ont entraînées, mariages, remariages, héritages, nominations, suicides, naissances, départs, fuites, retrouvailles... Une vaste comédie humaine dont il serait la racine fondamentale, car c'est lui qui a créé tout cela, non pas seulement les disparitions qui de toute manière seraient survenues tôt ou tard, mais aussi ce qu'elles ont pu créer de vivant, d'inattendu, d'inespéré parfois. Alors il se lève en se demandant ce que lui fera, puisque maintenant c'est son tour, l'annonce que le contrat est rempli, que Mathilde n'est plus.

*

Dieter Frei est, physiquement, l'inverse de Buisson. C'est un homme grand, massif, mais élégant, les cheveux raides, le ventre plat. Il mettra un peu moins d'une heure pour relier Freudenstadt à Strasbourg. Il existe un vol direct pour Toulouse, mais il doit d'abord passer par Paris. Il voyage sous un nom d'emprunt.

À Paris, il fait une très courte halte, le temps de se faire remettre une valise par un contact qu'il paie en espèces et de monter dans l'interminable train pour

Toulouse. Le commandant l'a prévenu que la durée de la mission n'était pas prévisible. De un à quatre jours, selon lui. Pas davantage.

Dieter a opté pour trois jours et a mis dans son sac de voyage l'exacte quantité de linge nécessaire.

À Toulouse, il loue une voiture sous son premier nom d'emprunt. Le tout lui a pris vingt-deux heures exactement. Il lui en reste deux pour se reposer. Sa valise contient un fusil de précision équipé d'une lunette de visée. La seule question qu'il se pose maintenant, c'est de choisir son poste d'observation.

*

Elle a traîné un peu, s'est fait du café. Elle se sent barbouillée, avec un goût âcre dans la bouche. Elle chasse l'idée d'ouvrir la pharmacie, quand on a eu un mari médecin, on fuit les médicaments. Elle somnole vaguement devant son café, soucieuse, sans savoir pourquoi.

Le cocker attend sa pitance. Mathilde se lève, lui ouvre la porte, remplit sa gamelle de croquettes et va se regarder dans le miroir. Quelle gueule, mon Dieu, quelle sale gueule ! C'est un visage dévasté aux paupières lourdes. En réalité, le même que les autres jours, mais elle est parvenue à l'âge où le matin n'a plus rien à voir avec ce que vous êtes vraiment. Il lui faut de plus en plus de temps pour se faire une tête présentable. Elle s'y emploie déjà lorsque le jour se lève. Il est sept heures et demie. C'est bien moi, se dit-elle en fixant le miroir, enfin, c'est à peu près moi. Autant que possible. Elle suspend son geste. Elle a entendu un bruit, un coup sec contre la cloison.

– Ludo !

Le chien ne vient pas. L'a-t-elle déjà fait sortir dans le jardin ? Le cocker, intrigué, la regarde, la tête légèrement penchée.

– Tais-toi, lui chuchote-t-elle, alors qu'il n'a pas fait le moindre bruit.

Non, ce n'est pas le chien.

Elle va jusqu'à l'évier. Machinalement, elle attrape le couteau de cuisine, regarde par la fenêtre, ne voit rien. Le bruit se fait de nouveau entendre. Cette fois, pas de doute, ça vient de l'extérieur.

Le cocker commence à couiner. L'inquiétude qui flotte dans la pièce l'atteint lui aussi.

– Tais-toi !

Le chien s'assied, pose les pattes de devant sur les jambes de Mathilde. Elle se baisse, le prend dans ses bras et le dépose sur le plan de travail, tais-toi, Ludo. Le chien essaye de lui lécher le visage tandis qu'elle tend l'oreille à la recherche de ce bruit, d'où ça vient ?

Le chien insiste, arrête, Ludo, elle le tient contre elle, il se sent un peu à l'étroit, il couine, tais-toi, tu vois bien que maman écoute.

Il se calme, mais reste apeuré.

Mathilde le repose au sol, se déplace en silence jusqu'à l'horloge normande qu'elle ouvre délicatement tout en fixant tour à tour la porte vitrée qui donne sur le jardin et les fenêtres de la cuisine. À tâtons, elle sort un chiffon gras dans lequel est enveloppé un Smith & Wesson, il est toujours chargé et armé. Elle saisit à côté un second chargeur qu'elle glisse dans sa poche, pose le chiot par terre puis s'avance d'un pas feutré jusqu'à la porte. Elle entend son cœur cogner. Elle s'aplatit contre la cloison, saisit la poignée et la tourne lentement. À l'inverse de ce que le commandant appelle le sang-froid et qui est une manière de détachement face à la réalité, Mathilde fait preuve d'une lucidité étourdissante. Ces instants sont épuisants où tous les sens convergent vers un détail apparemment insignifiant. Son cerveau ne marche plus, il n'est rien d'autre qu'un point aigu, fixé sur un objet dont elle ne sait s'il est réel ou imaginaire.

Mathilde a ouvert la porte, très doucement. Quand elle s'avance vers le seuil, elle entend de nouveau le bruit.

Levant la tête, elle voit le volet de la chambre qui bat légèrement.

À l'instant même, peut-être à cause de la brusque détente provoquée par ce constat, par l'absence du danger auquel elle a cru, elle est reprise d'un malaise, ses jambes mollissent, sa main retombe sous le poids de l'arme qu'elle est prête à lâcher. Elle s'avance lentement jusqu'à la chaise où elle s'effondre. Elle tente de reprendre ses esprits. Le chiot vient jusqu'à elle. Elle le saisit et le blottit sur ses cuisses. Un quart d'heure passe ainsi.

Qu'est-ce qui m'arrive ?

De quoi ai-je eu peur ?

Se lever, agir. Puisque tu es prête, va faire les courses, rends-toi utile. Elle s'avance jusqu'à l'horloge, y replace l'arme dans son chiffon gras et ramasse ses clés. Le fond d'inquiétude qui l'a saisie ne s'évanouit pas, c'est comme un mauvais goût dans la bouche ou la crainte d'une chute sur un trottoir glissant. Quelque chose d'une angoisse qui refuse de passer.

Que faire de Cookie ? Si je le laisse dehors, Lepoitevin risque de me le trucider, je le connais. À moins d'aller le voir maintenant et de régler définitivement le problème. Mais elle n'est pas assez en forme pour cela. Est-elle toujours sous le coup de l'émotion ? Elle voit bien que son rythme cardiaque n'est pas revenu à la normale, ça continue de battre de guingois.

Elle place le panier du chien avec sa couverture sur la terrasse, veille que son bol d'eau et celui de croquettes soient pleins. Puis elle rejoint sa voiture, mais pas très solide sur ses jambes. Il ne faudrait pas qu'elle fasse un nouveau malaise en conduisant…

*

Buisson a bien évalué la distance. Il arrive sur la petite route qui mène à sa destination quelques minutes avant neuf heures. Les maisons sont assez éloignées les unes des autres, séparées par des jardins parfaitement domestiqués. Elles portent des noms ridicules. Il cherche la sienne, La Coustelle, avec un long sentier gravillonné et une grille basse en fer forgé. Il ne roule pas trop vite et soudain, juste après un virage à angle droit, il reconnaît la maison et même la propriétaire parce qu'à l'instant où il passe, elle s'engage sur la chaussée au volant de sa Renault 25.

Aucun doute, soixante ans, forte, assez maquillée. Il détourne le regard et poursuit sa route, cherche un endroit où faire demi-tour discrètement, ce qu'il trouve cent mètres plus loin. Il reprend le chemin en sens inverse, ralentit à hauteur de la maison, vérifie le nom, accélère. Il aura tout le temps, en fin de journée, d'aller reconnaître les lieux, le jardin, le voisinage. Pour le moment, il vaut mieux ne pas rester là afin de ne pas risquer d'attirer l'attention de qui que ce soit. Le mieux, c'est de suivre la cible. Voir comment elle se comporte, comment elle marche, s'imprégner de son style. Et s'il la perd, peu importe, elle rentrera chez elle tôt ou tard et il sera là pour l'attendre.

*

Mathilde, elle, va soudain beaucoup mieux.

Dès qu'elle a passé la grille et s'est engagée sur la

route en direction de Melun, elle s'est sentie revigorée. L'angoisse de tout à l'heure s'est estompée, elle respire de nouveau normalement. Ouf. C'est comme un coup d'essuie-glace après une ondée passagère, le décor rede- vient serein, l'appétit de vivre lui est revenu. Alors c'est décidé : chaussures et salon de thé. La grande vie.

Il y a quatre magasins qu'elle fréquente régulièrement. Pour certaines femmes, ce sont les robes, pour d'autres les ustensiles de cuisine, elle, ce sont les chaussures, allez comprendre ! Mathilde rit en pensant à cela, oui, il y a des modèles qu'elle a achetés et qu'elle n'a jamais portés, c'est vrai, et alors ? On ne vit qu'une fois. La matinée passe en essayages, elle achète deux paires, le moral est au beau fixe. À midi, elle préfère le salon de thé au restaurant. Elle s'empiffre d'un Paris-Brest monumen- tal, je ne devrais pas, je sais, je m'en fous !

Et vers dix-sept heures, la voilà de retour à la maison.

Cookie a été sage comme une image, il est heureux de la retrouver, mon bébé, dit Mathilde en tenant le chiot à bout de bras. Elle ouvre une bouteille de vin blanc, un paquet de biscuits à apéritif, ça non plus, les biscuits salés, elle ne devrait pas…

Elle emporte le tout sur la terrasse, bien décidée à en profiter avant que la fraîcheur tombe.

Installée dans son fauteuil à bascule, elle observe la haie du voisin.

Aller voir Lepoitevin ce soir n'est pas envisageable. Demain, si tout va bien. Ou une autre fois, ce n'est que partie remise, le coup de Ludo, ça ne passe pas, il va bien falloir qu'elle aille le lui expliquer, mais plus tard. Pour le moment, profite de la douceur, Mathilde, se dit-elle, caresse ton chien, bois ton vin blanc, goinfre-toi de biscuits, tu l'as bien mérité !

*

Buisson n'a pas suivi Mathilde bien longtemps. Il voit très bien à qui il a affaire. Magasins de chaussures, stations devant les vitrines de maroquinerie, salon de thé, il n'a pas insisté. Et il s'est félicité de ne pas avoir perdu davantage de temps parce qu'il a été plus difficile qu'il le pensait de trouver ce qu'il cherchait dans la forêt qui entoure le quartier de maisons où se situe La Coustelle. La carte d'état-major qu'il a longuement étudiée lui a permis d'aller directement là où il le souhaitait, mais quand la lumière a commencé à baisser, il a bien cru qu'il allait devoir grimper à un arbre. Mais il a fini par trouver son bonheur, une cabane de chasse. Elle n'a pas été utilisée depuis pas mal de temps, il a cassé deux barreaux en montant et là-haut, il a dû rester très près des parois pour ne pas risquer de passer à travers le plancher. Il n'était pas au bout de ses peines, car il a fallu monter sur le toit dont les planches vermoulues ne demandaient qu'à s'effondrer. Enfin, il est arrivé à ses fins. De là, il a pu observer, à la jumelle longue distance, la maison de sa cible dont il ne voit que la partie sud, mais c'est la plus intéressante. Vers dix-neuf heures, la lumière de la terrasse s'est éteinte. Il y a eu un long ballet d'allumage et d'extinction des lumières entre le rez-de-chaussée et l'étage, puis n'est plus resté allumé que l'étage, deux pièces, il a supposé qu'il s'agissait de la salle de bains et de la chambre. Puis une seule, longuement. La chambre. Buisson a dressé une cartographie mentale de la maison qui ne devrait pas réserver beaucoup de surprises.

À vingt et une heures quarante-cinq, la dernière lumière s'éteint. Il attend une demi-heure puis descend avec mille précautions de sa cabane de chasse, rejoint la camionnette, reprend la route, passe un coup de téléphone très bref d'une cabine de village et revient, mais s'arrête en forêt.

Il se rend à l'arrière, s'allonge dans un duvet de montagne et s'endort.

*

Vers deux heures du matin, Buisson, frais et dispo, bloque la clochette de la porte d'entrée, soulève la grille pour ne pas qu'elle grince et, passant par la pelouse pour éviter le bruit du gravier sous ses pas, va jusqu'à la maison qu'il contourne. C'est une porte de cuisine très classique, avec une vitre en verre dépoli et une serrure ordinaire qu'il crochète rapidement. Une fois à l'intérieur, il reste un long moment à attendre que sa vue se soit accoutumée à la pénombre.

Au passage, il caresse d'un doigt le chiot qui ronfle dans son panier, se déchausse et sort de son blouson un Walter PPK équipé d'un réducteur de bruit.

Testant longuement chaque marche du bout du pied, il met près de six minutes à monter à l'étage.

Dans le couloir qui mène à la chambre, il avance avec la même lenteur et les mêmes précautions.

La porte est grande ouverte, ce sera un obstacle de moins à franchir.

Il aperçoit la lourde silhouette de la cible qui se dessine sous la couette. Il avance d'un pas supplémentaire, toujours avec la même lenteur. À l'entrée de la chambre, sous ses pieds, le tapis fait une bosse. Il s'en rend compte, c'est, non pas seulement une couverture étendue au sol, mais aussi un tapis. Toujours concentré, depuis le seuil, il tend le bras à l'horizontale et tire deux balles droit devant lui.

Il y aura en fait non pas deux détonations étouffées, mais quatre.

Les deux premières sont dues aux balles que Buisson tire sur le lit.

Les deux suivantes, à celles de 7,65 qu'il va recevoir, la première dans la nuque, la seconde dans les reins.

Ces détonations sont assez semblables à celles d'un bouchon de champagne qu'on tente de bloquer à l'ouverture.

Mathilde allume la lumière.

Elle est en manteau, elle avait peur de prendre froid à attendre ce con-là.

Maintenant qu'elle lui a fait sa fête, elle va se préparer un bon café. Quelle heure est-il ? Trois heures du matin !

Encore une nuit de foutue.

17 septembre

Je te l'avais bien dit, Henri : la vieille Mathilde a de la ressource, faut pas croire !

Elle est debout dans la cuisine, son manteau sur le dos comme s'il gelait dans la pièce. Elle sirote son bol de café fumant.

Je reconnais, Henri, que j'ai eu de la chance, mais tu te souviens de ce que disait Napoléon, hein, il ne faut jamais l'oublier. Elle lui a dit ça quand il est venu l'autre jour ou elle l'a seulement pensé ? Elle ne s'en souvient plus.

Il est quatre heures du matin. Ça va un peu mieux maintenant, mais quel boulot ! Et qui a bien mal commencé.

— Regarde-moi ce cochon ! a-t-elle d'abord hurlé quand elle est remontée dans la chambre.

Le vieux tapis et la couverture étendus sur la moquette de la chambre étaient destinés à éponger le sang du type qu'Henri lui a envoyé. Et voilà que le sang a traversé et envahi la moquette. Et pas qu'un peu !

C'est tout imbibé, une tache énorme ! Mathilde est furieuse. Allez nettoyer ça maintenant ! Le sang, avec l'encre, c'est ce qu'il y a de pire.

Bon, s'est-elle dit, ce qui est fait est fait, je ne vais pas passer mon temps à me lamenter.

Elle va faire ce qu'elle a prévu : le saucissonner dans le tapis et la couverture et lui faire dévaler l'escalier jusqu'au rez-de-chaussée en espérant qu'il ne va pas se coincer à mi-chemin. Normalement, le paquet sera homogène, pas de bras ou de pied qui dépasse, ça devrait aller. Mais elle doit s'en occuper rapidement, avant le stade de rigidité cadavérique, parce que après il faudra attendre un moment et Mathilde est du genre impatient. Sans compter qu'il saigne comme un porc, ce saligaud ! Est-ce que la femme de ménage saura comment faire pour nettoyer ça, j'en doute, la bonne femme de l'agence m'a dit qu'elle n'avait pas beaucoup d'expérience, d'ailleurs, j'ai dû noter quel jour elle doit venir. Penser à vérifier.

Elle commence par une fouille en règle.

Le type n'avait aucun papier sur lui. Normal.

Il portait des semelles de caoutchouc et travaillait avec un Walter PPK qu'elle a mis de côté avec les clés de la fourgonnette. Il n'y a pas à dire, Henri, tu sais t'entourer. Et je ne dis pas ça pour moi, mais ce type était un bon professionnel. Franchement, je n'aurais pas apprécié que tu m'envoies un amateur, j'aurais trouvé ça insultant !

Maintenant, il va falloir dénicher sa camionnette, mais d'abord ficeler le paquet. Tu m'en fais faire de ces choses, Henri, tu penses que j'ai encore l'âge de ces conneries ?

Elle a prévu un rouleau de scotch large, mais pas que le type tomberait à moitié de travers sur le tapis, c'est pour ça que le sang a gagné la moquette et qu'il est lourd, très lourd, pour la force dont elle dispose.

Elle se demande un instant si elle ne devrait pas solliciter l'aide de Lepoitevin.

L'évocation du voisin la ramène à ce pauvre Ludo. Aller s'expliquer avec cet imbécile de Lepoitevin, elle le note mentalement et retourne à sa tâche.

Soulever le corps centimètre par centimètre. Mathilde se met à genoux, souffle comme une damnée, se remet debout, se penche, attrape les épaules, le blouson, les pieds, c'est infernal. Combien de temps lui a-t-il fallu rien que pour placer le corps dans la bonne position ? Ensuite, le rouler dans le tapis. Ce n'est pas plus difficile, mais elle est à demi épuisée. Il faut scotcher le tout. Pour ça, à nouveau le rouler dans un sens, passer le scotch de l'autre côté, rouler le type dans le sens inverse et faire ça combien de fois, et ce lit qui est placé là, bon, dans une chambre, un lit, c'est ce qu'il y a de plus logique, mais quand on veut rouler un tueur dans un tapis, c'est encombrant.

Elle retourne son réveil posé sur la table de nuit. Bon Dieu, elle a mis près d'une heure pour le ficeler.

Il va falloir le balancer dans l'escalier et c'est encore

toute une histoire que de l'amener jusque sur le palier, de le tourner en position pour le faire dévaler bien droit.

C'est le moment névralgique. Mais Mathilde est épuisée. Si le rouleau se bloque quelque part, il va falloir de la force et de l'énergie pour le débloquer, et pour le moment, je suis lessivée, Henri, crevée.

Elle le laisse en travers sur le palier, juste au-dessus de la première marche.

Elle fera ça quand elle aura repris des forces. Elle se glisse entre le paquet et la rampe, descend les marches lourdement, entre dans la cuisine. Le chiot vient se frotter contre ses pieds, elle le saisit, le pose sur ses genoux, met ses bras sur la table, pose la tête et s'endort à l'instant même.

Et du coup, quand la clochette retentit, elle met beaucoup de temps à se réveiller, à réaliser où elle se trouve, désorientée, engourdie, abrutie de sommeil. Le chiot a pissé dans la cuisine, c'est la première chose qu'elle voit en levant la tête, et ça la met en colère…

– Qu'est-ce que tu as fait !

Elle est furieuse. Le chiot se blottit dans l'angle de la pièce, elle se lève, avance vers lui, je vais te montrer, saloperie de chien, mais elle est stoppée par le son de la cloche qui retentit de nouveau. Elle tourne la tête et la voici aussitôt bien réveillée, car il y a deux hommes à la porte, en costume. Qui puent le flic à quarante pas. Ils la voient à travers la baie vitrée de la terrasse.

Pour quelle raison viennent-ils lui rendre visite ?

Il y a, sur le palier, le corps du tueur roulé dans le tapis prêt à dévaler l'escalier...

À l'entrée de la chambre, à l'étage, une flaque de sang qui a imbibé la moquette...

Elle passe une main dans ses cheveux, s'avance jusqu'à la baie vitrée et, sans sortir sur la terrasse :

– Entrez, messieurs, entrez !

Elle revient dans la cuisine, ouvre le tiroir, prend le Luger 9 mm, l'arme d'un mouvement sec et le repose avec précaution. Elle laisse le tiroir entrouvert, ça ira plus vite.

Puis elle se retourne et les regarde s'avancer dans l'allée rectiligne.

Le chef est à droite, c'est le plus petit, il marche un demi-pas devant l'autre, un jeune, ils sont aussi mal habillés l'un que l'autre. Le chef semble mâcher quelque chose, peut-être du chewing-gum.

Mathilde va au plan de travail et elle essore une serpillière à l'instant où les deux hommes, parvenus sur la terrasse, s'arrêtent devant la baie vitrée qu'elle a laissée entrouverte.

– Madame Perrin ? demande le plus petit.

– Oui, c'est moi, n'entrez pas, le chiot vient de s'oublier, vous allez glisser, j'arrive.

Et ils baissent les yeux pour voir cette femme déjà âgée, au visage fatigué, se courber douloureusement, avec des soupirs, pour essuyer à la serpillière la pisse du chiot à qui elle parle en même temps :

– Il va falloir apprendre, hein, mon poussin, maman ne peut pas comme ça, tous les matins… Asseyez-vous, messieurs, je suis à vous tout de suite…

Le commissaire avait esquissé le geste de sortir sa carte, de se présenter, il n'en a pas eu le temps, il se tourne vers son adjoint, intrigué. Elle n'a pas hésité à les faire entrer, elle ne sait pas qui ils sont, elle leur propose de s'asseoir, c'est assez étrange et même déroutant.

Mathilde termine sa tâche en soufflant puis les rejoint.

– Je vous propose un café ?

– Ma foi…, dit le plus jeune.

Il n'a pas vingt-cinq ans, on dirait qu'il sort du collège.

– Madame, commence l'autre, nous sommes…

– Oh, je devine très bien qui vous êtes, le coupe Mathilde. Sans vous vexer, vous avez tous un peu la même allure, hein, dans la police ? Alors, café pour tout le monde ?

Le plus jeune rigole, le commissaire est vexé, il sort de sa poche une poignée de graines.

– C'est quoi ? demande Mathilde. Ce que vous bouffez, là, c'est quoi ?

– Des noix de cajou.

– Eh ben, vous n'allez pas vivre bien vieux, vous… Bon, allez, le café…

Elle est dans la cuisine en train de remplir le filtre, elle demande par-dessus son épaule :

– Vous venez aussi pour cette histoire de parking ?

– Notamment…, dit le commissaire.

Mathilde se retourne, le visage souriant, comme s'il venait de lui annoncer une bonne nouvelle.

– Il y a autre chose ?

L'impression qui domine, c'est que cette femme s'ennuie et que la visite lui fait plaisir. Si on se laisse aller, on va discuter avec elle toute la matinée, et à midi, elle va mettre la table pour trois sans vous demander…

La cafetière électrique a commencé à hoqueter, Mathilde revient avec les tasses, les cuillères, la boîte de sucre.

– Je croyais avoir tout expliqué à votre collègue, comment il s'appelle, le grand, avec un nom russe… ?

– Vassiliev ?

– C'est ça !

Elle repart, revient avec le chiot qui s'est blotti dans ses bras, elle s'effondre sur la chaise avec un nouveau soupir.

– Bon, alors, il faut que je recommence ? Alors, voilà, c'est une affaire de chaussures, oui, je sais, c'est assez futile, mais c'est comme ça, j'avais une paire de ch…

– Non, ce n'est pas la peine, dit le commissaire, tout ça est dans son rapport, non…

Mathilde fait une petite grimace, elle ne saisit pas la raison de leur visite.

– Notre collègue est mort avant-hier, madame, et…

– Non !

C'est un véritable cri, Mathilde se tient le poing contre la bouche.

– Le grand jeune homme qui est venu ici ? Il est mort ?

– Oui, madame, avant-hier.

– Il avait l'air en bonne santé, ce grand gaillard, il avait des chaussures sales, mais je le trouvais bien sympathique pour un policier... Enfin, je veux dire... Et il est mort de quoi ?

– Il a été tué, madame... Vous avez peut-être entendu cela aux nouvelles...

– Je ne regarde jamais la télévision, mon pauvre ! Je ne suis jamais au courant de rien ! Mais tué par qui ? Pourquoi ?

– Ce sont précisément les questions auxquelles nous cherchons des réponses, madame.

Occhipinti est très heureux de cette formule, il avale une lampée de noix de cajou. Il a l'air sûr de lui mais c'est un homme un peu à la dérive. Il y a vingt-quatre heures qu'on travaille les frères Tan sans rien trouver. Lui-même y a passé de longues heures. Lassé, il les a confiés à une autre équipe. Il fait d'incessants allers-retours entre l'hypothèse Tan et l'hypothèse Vassiliev, il ne sait pas à quel saint se vouer. Il a l'impression de ne pas avoir tiré le bon fil, ça flotte, ça tangue, il n'aime pas ça. Comme une équipe retourne interroger les témoins que Vassiliev a rencontrés dans l'affaire du parking, le commissaire a dit qu'il se chargeait de la vieille de

Melun. Dès qu'il est arrivé ici, qu'il a vu cette bonne femme, il s'est reproché son initiative : est-ce qu'il n'y a rien de plus urgent qu'aller interroger une retraitée ? C'est vraiment le signe qu'il est à côté de son enquête, que quelque chose ne tourne pas rond. À commencer par lui-même.

Mathilde se tourne vers le plus jeune qui n'a pas pipé mot depuis leur arrivée.

– Tu veux bien aller chercher le café, mon garçon, j'ai du mal à marcher, moi, ce matin…

Le policier sourit, Mathilde lui fait penser à sa grand-mère, elle est comme ça, elle ne prend pas de gants.

– Alors, qu'est-ce que je peux faire pour vous, ins-pecteur ?

– Commissaire.

– Si vous voulez.

Elle le trouve susceptible.

– Je veux savoir s'il s'est passé quelque chose, disons de particulier, lors de sa visite, nous reconstituons son parcours au cours des derniers jours.

Mathilde fait une mimique, je ne vois pas.

– On a parlé du parking, il n'a même pas voulu prendre de café, il n'est pas resté bien longtemps, non, je ne vois pas.

Le jeune policier est revenu avec la cafetière.

– C'est un tapis que vous avez là-haut ?

– Un tapis ? demande le commissaire. Quel tapis ? Où ça ?

– Là-haut, dit le jeune en servant le café. Roulé sur le palier…

– C'est pour le brocanteur, dit Mathilde. Il doit venir le prendre dans la matinée.

– Vous ne voulez pas que je vous le descende ?

Il est serviable ce jeune garçon, mais Mathilde est un rien agacée.

– Ça va aller, merci, le brocanteur va le faire, c'est son boulot, déjà que j'ai fait l'emballage…

Pendant ce temps, le commissaire s'est essuyé la paume de la main sur le revers de sa veste et a sorti un papier passablement froissé sur lequel on distingue une écriture en pattes de mouche.

– Ça n'est pas dans le rapport de l'inspecteur Vassiliev, mais dans ses notes… Je vois qu'il a écrit « tête de chien », ça vous dit quelque chose ?

Dans l'esprit de Mathilde, deux pensées se télescopent.

Comment gagner du temps.

Et comment se lever sans éveiller l'attention pour aller jusqu'au tiroir de la cuisine. Parce que la colère qu'elle a ressentie pour cet enfoiré de policier est revenue intacte et les deux qui sont là sont en train de prendre le même chemin.

– C'est à cause de lui.

Elle désigne le petit cocker toujours blotti dans ses bras

C'est ce qui vient de lui traverser la tête. C'est comme

jeter une pièce en l'air, elle tombe du bon ou du mauvais côté, ce sera tant pis pour eux. Ils fixent le chiot avec une sorte d'inquiétude.

– Je crois qu'il avait le même étant gosse…

– Mais pourquoi «tête» de chien? dit le commissaire. Je ne vois pas très bien…

– Le sien avait la même tête, m'a-t-il dit. Moi, je crois que les cockers, ils ont tous la même tête, non? Je ne veux pas être désagréable mais il n'était pas un peu simplet, votre collègue?

Le commissaire ne réagit pas.

À Mathilde, l'atmosphère semble viciée tout à coup, quelque chose les chagrine, ça se voit à leur mine. Le commissaire regarde le papier.

– Et il a noté «le voisin» et plus loin «la haie».

– Ça ne me dit rien…

– Pourtant ce sont des notes prises après votre entretien.

– Bah peut-être, mais il pensait peut-être déjà à autre chose, je ne sais pas…

Cet argument ne semble pas remporter beaucoup de succès auprès des policiers qui demeurent silencieux et dubitatifs.

– À moins qu'il soit allé parler avec le voisin, dit-elle. Mais je ne vois pas pourquoi il aurait fait ça.

– C'est possible, dit le commissaire. C'est bien possible.

Il a renfourné le papier dans sa poche.

– On va aller parler au voisin, alors.

Ça sent vraiment le roussi. Et Mathilde, ça l'énerve considérablement. Elle les regarde l'un après l'autre. Elle va les dispenser d'une visite chez Lepoitevin. Elle est allée chercher l'autre grand con jusqu'à Aubervilliers, c'est pas pour se laisser emmerder à domicile par ces deux lascars.

Elle se lève.

– Il faut que je prenne mes médicaments, moi, sinon…

– Je peux y aller si vous voulez, se précipite le jeune policier.

– Non, vous ne trouverez pas.

Pour revenir dans la cuisine, Mathilde passe la baie vitrée qu'elle ouvre largement, elle a besoin de place pour tirer. Elle a bien fait d'armer le Luger, il suffit de le prendre en main, de se retourner… Mentalement, elle revoit la disposition, la place exacte où se trouve le vieux, la distance qui le sépare du jeune. Elle va le faire dans cet ordre-là, elle ouvre le tiroir, prend le Luger en main.

Le téléphone sonne.

Mathilde est arrêtée en plein élan. Qui ça peut bien être ?

Elle repose délicatement le Luger dans le tiroir qu'elle repousse, se dirige vers le combiné, décroche. Puis se tourne vers le commissaire.

– C'est pour vous…

Il se lève.

– J'ai donné votre numéro…

– Faites comme chez vous, répond Mathilde.

Il a exigé d'être appelé après la première séance d'interrogatoire des frères Tan. C'est la pause à la PJ, on l'appelle pour le tenir au courant.

Il s'avance, prend le combiné.

– Alors ?

Pas commode, le commissaire.

Mathilde est retournée à son tiroir. Les choses vont être plus difficiles maintenant. Le premier est à sa gauche, ce n'est pas le côté qu'elle préfère. L'autre est à quatre mètres de là, sur la droite. C'est le plus jeune, sans doute le plus rapide, mais l'effet de surprise devrait jouer en faveur de Mathilde.

Mais déjà la configuration se modifie.

Le jeune inspecteur est venu au-devant de Mathilde. Très bas, presque dans l'oreille, il propose :

– Vous ne voulez pas que j'en profite pour descendre votre tapis ?

Et il n'attend pas la réponse, se dirige vers l'escalier. Mathilde saisit le Luger. En une seconde, elle évalue que le commissaire et l'inspecteur sont groupés sur la même ligne, mais que ça ne va pas durer, le jeune policier va grimper les marches. Elle est brutalement interrompue dans son élan.

– On va devoir vous laisser, madame Perrin, dit le commissaire en raccrochant. Le devoir nous appelle.

Ce qu'il appelle le devoir, c'est le juge. Il veut le voir, faire le point. Occhipinti va se faire engueuler parce que rien n'avance. Son subordonné l'informe que les frères Tan jouent la montre. Ils se taisent, attendent la fin du délai de garde à vue.

— Bordel de merde…, murmure Occhipinti en raccrochant.

— Pardon ? demande Mathilde.

— Excusez-moi…

— J'aime mieux ça parce que je ne paie pas des impôts pour entretenir des fonctionnaires qui jurent comme des charretiers !

Le jeune homme, stoppé sur la seconde marche, est prudemment revenu sur ses pas.

Mathilde les fixe sévèrement l'un et l'autre.

— Et le voisin, alors ? Vous n'allez pas voir le voisin ?

— Ce sera pour une autre fois, je crois.

Elle n'a pas le temps de réaliser, le commissaire a dit « Allez viens, faut pas tarder… ».

— Merci pour le café, dit le jeune en voyant que le commissaire part sans un mot.

— C'est ça…, lâche Mathilde entre ses dents.

*

— Avec tout ça, je ne suis pas en avance, moi…

Mathilde prend le temps de laver les tasses, de donner à manger au chiot, puis elle monte à l'étage et comprend que son plan consistant à laisser rouler le corps jusqu'en bas n'a aucune chance de fonctionner, il faut le placer dans le sens de la descente... et tirer dessus.

Ainsi, tirant le tapis roulé centimètre par centimètre, veillant à ne pas s'épuiser, Mathilde rumine la venue des deux policiers. Ils l'ont échappé belle, hein, Henri, tu as vraiment cru que j'allais... Eh bien, moi aussi, pour te dire le vrai !

Ce qui la chagrine maintenant, c'est le retard qu'elle a pris, il est déjà neuf heures et demie. Si elle ne s'était pas bêtement endormie, tout aurait été terminé avant l'arrivée des poulets, quels crétins, ces deux-là...

À force de tirer, le corps ficelé se retrouve en bas, où elle le roule péniblement jusqu'à la terrasse et l'allonge correctement. À travers le tapis, elle sent que le cadavre est raide comme un échalas, elle a bien fait de prendre les devants.

Arrivée là, Mathilde s'assied et souffle.

Son problème maintenant, c'est Lepoitevin. Elle a besoin d'aller chercher la camionnette que le type a dû garer quelque part dans les environs. Avec son enseigne belge et sa publicité pour une entreprise de nettoyage, ça va immanquablement attirer l'attention du voisin et après, boule de neige de questions, de prétextes, il va surveiller ses faits et gestes, elle ne s'en sortira pas.

En songeant à Lepoitevin, Mathilde sent remonter une sourde colère. Au fond, c'est lui le point de départ de tous ses problèmes. Jusqu'à la venue des Dupont et Dupond de ce matin ! S'il n'était pas allé baver sur cette histoire de tête de chien, tiens à propos, elle est où cette tête, il ne faudrait pas que Cookie aille s'empoisonner avec cette saloperie. Penser à l'enterrer, se dit-elle, mais elle l'oublie aussitôt parce que son point de fixation, c'est Lepoitevin. Le mieux, finalement, c'est de s'occuper de lui maintenant. De toute manière, elle devait le faire, alors autant s'en débarrasser, ce sera toujours ça de réglé.

Elle ouvre le tiroir de la cuisine, prend le Luger, sort sur la terrasse et d'un pas décidé s'avance jusqu'à la haie. Il doit être en train de biner, de sarcler ou je ne sais quoi, cet imbécile, je vais l'appeler, il va s'approcher tout miel tout sucre et je vais lui en coller une entre les deux yeux, on n'en parlera plus.

– Monsieur Lepoitevin ?

Mathilde écarte les branches de thuya, mais la haie est assez épaisse, il lui faut ses deux mains. Elle glisse le Luger dans sa ceinture.

– Monsieur Lepoitevin ?

Elle s'écorche un peu, mais finalement parvient à l'extrémité, la maison du voisin se dessine. Elle tient les dernières branches avec le bras gauche et reprend le Luger de la main droite.

– Monsieur Lepoitevin ?

Elle voit alors la porte du garage se refermer, la voiture du voisin s'éloigner, il a installé une ouverture électrique, lui, je devrais le faire… Les feux arrière disparaissent lorsqu'il aborde la rue.

Ce n'est que partie remise, se dit-elle.

Elle vient de gagner un petit répit (Lepoitevin aussi). Elle va en profiter pour aller chercher cette bon Dieu de camionnette et, si le voisin arrive sur ces entrefaites, elle se chargera de lui, coup double, on n'en parlera plus.

En rassemblant ce dont elle a besoin, Mathilde parle toute seule. Les croquettes pour Cookie, je t'en mets pour trois jours, maman sera revenue avant, ne t'inquiète pas, mon trésor ! Le sac de voyage, un peu de linge, la trousse de toilette, remonter à la chambre, redescendre, je vais finir par faire une attaque, moi ! Le Smith & Wesson de l'horloge normande, le Luger, le Desert Eagle, autant de munitions que nécessaire.

Lorsque tout est rassemblé sur la terrasse (pousse-toi, Cookie, non, ne lèche pas ce tapis, ça va te rendre malade), elle enferme le chiot dans la cuisine, maman t'ouvrira en partant, mon chéri. Puis elle change de chaussures. Il fait vraiment frais. Allons. Elle emprunte l'allée rectiligne pour sortir de la propriété.

C'est drôle de repasser ici à pied, c'est exactement là, en quittant la maison, que, la veille, elle a croisé la four-gonnette du type qui roulait lentement. Mathilde ne se sentait pas très bien. Ce bruit de volet lui avait fait une de ces peurs ! Elle ne s'en était pas remise et restait contractée, inquiète. La fourgonnette a croisé sa route.

Pas le temps de voir le visage du conducteur, mais sur les côtés, l'enseigne peinte au logo d'une entreprise de nettoyage dont le siège est en Belgique… Un clignotant s'est aussitôt allumé dans son esprit et elle s'est tout de suite sentie mieux. Parce que du coup elle savait, elle était certaine que c'était pour elle. En une seconde elle a imaginé le plan. Il viendrait dans la nuit, pas possible autrement. Elle s'est amusée à faire toutes sortes de courses, les vitrines, les magasins de chaussures. Elle ne l'a jamais vu, mais elle a senti sa présence. Un professionnel très expérimenté. Pas une faute. Mathilde a compris qu'il ne faudrait pas commettre une seule erreur. Tout s'est très bien passé. Le problème, avec ces gars-là, Henri, c'est que souvent, ils sous-estiment la cible. Une vieille bonne femme comme moi, il a pensé qu'il n'en ferait qu'une bouchée. C'est l'erreur classique. Vous avez de drôles d'idées sur les femmes. Surtout sur les vieilles. Maintenant, il n'aura pas le loisir de méditer sur cette question, mais toi, Henri, j'espère que tu vas en tirer profit.

En pensant à ces choses, Mathilde écume le quartier, où s'est-il garé ce crétin? Il n'a pas pu aller bien loin parce que lui non plus n'avait pas beaucoup de temps. Et à force de marcher dans les rues, elle se met en colère.

En fait, Henri, je vais te dire ce qu'il y a : tu aimes jouer aux cow-boys et aux Indiens, mais côté efficacité, zéro. Moi, je t'aime, Henri, tu sais que je t'aime, que tu peux tout me demander ! Alors, pourquoi me faire des choses pareilles, m'envoyer un sbire et tout ça, on peut toujours régler ça entre nous, rien que toi et moi, non ? Comme au bon vieux temps ! Je sais que tu n'aimes pas parler du passé, mais on vieillit tous, Henri, on vieillit tous. Toi le premier, ta ta ta ta, toi le premier, Henri. Regarde un peu le pataquès que tu m'as fait pour cette histoire de pistolet. Si je n'avais rien gardé, j'aurais bonne mine maintenant ! C'est moi qui serais roulée dans les couvertures ! Et songe un peu à toi, Henri, de quoi tu aurais l'air à cette heure, de savoir que ta vieille Mathilde est là, étendue, toute crevée, hein, tu y as pensé ? Oh, Henri, Henri, tu ne veux jamais m'écouter ! Tu te dis que Mathilde est une vieille guenon plus bonne à rien et qui n'en fait qu'à sa tête. Alors tu m'envoies cette brute imbécile qui n'est même pas foutue de garer sa camionnette dans un endroit accessible !

Et soudain, la voilà !

Stationnée dans une petite rue où on ne trouve que des pavillons en construction. Elle ouvre la camionnette. Propreté impeccable. Henri, ton gars était un homme bien structuré. Il avait des idées toutes faites sur les femmes, mais côté organisation, c'était un chef.

Elle profite de ce que le véhicule est garé dans cet endroit discret pour le visiter. Une fois qu'elle sera à la maison, il ne faudra pas trop tarder. Bon, si Lepoitevin survenait, ça ne serait pas un drame (sauf pour lui), mais elle a déjà tant et tant à faire… !

Un meuble en bois court tout le long de la paroi du

véhicule avec toutes sortes de tiroirs, de poches et de casiers, tout ce qu'il faut pour un travail propre et sans bavures, des cordes, des outils, des produits chimiques sans doute destinés à faire fondre l'extrémité des doigts, peut-être à défigurer. Ça donne vraiment envie, Henri, j'aurais vingt ans de moins, c'est ce que je ferais... Le métier évolue beaucoup et j'adorerais prendre le train en marche.

Ah, voilà ce qu'elle cherche, les grands sacs de la morgue. Il y en a une douzaine, le type devait travailler beaucoup ou être précautionneux jusqu'à l'obsession.

Elle a beau les tourner dans tous les sens, elle ne voit pas très bien...

Qu'est-ce que c'est que ces machins-là, Henri, tu peux m'expliquer ?

Oui ! Oh, Henri, quelle trouvaille ! Mathilde enfonce l'embout d'une petite pompe semblable à une pompe à vélo, mais qui aspire l'air au lieu d'en envoyer. C'est génial. Vous fourrez le corps dans le sac, vous fermez, c'est étanche et imperméable, vous pompez l'air et vous faites le vide. Sans doute pas parfaitement, mais vous gagnez un temps précieux sur les stades de décomposition ! Bravo, Henri, ton gars était vraiment un champion, j'adore ce truc, j'ai hâte de l'essayer !

En démarrant, Mathilde fait attention au gabarit de la camionnette dont elle n'a pas l'habitude. Elle roule très prudemment, descend pour ouvrir la grille, remonte, avance de quelques mètres, redescend pour la fermer.

Allez savoir pourquoi, elle n'a jamais voulu installer une ouverture électrique. Sauf que ce qui était un agréable rituel il y a quelques années devient une corvée sans nom qui lui donne des palpitations. Elle hoche la tête. Je dis tout le temps que je vais faire installer une ouverture électrique, et finalement, je ne le fais jamais. Elle gare la camionnette devant la terrasse. Elle fatigue vraiment maintenant.

Tout ça est quand même bien contrariant. Henri sait pourtant bien qu'il ne me faut pas de contrariétés, que j'ai le cœur fragile, alors pourquoi me faire des misères comme ça ? Est-ce que je n'ai pas toujours fait ce que tu voulais ? Bon, j'ai mes manières à moi, ce ne sont pas les mêmes que les tiennes, mais ce qui compte, c'est le résultat, non ? Est-ce que tu n'as pas toujours été content du résultat ? Et maintenant tu me fais des misères pour des babioles, vraiment Henri…

Heureuse surprise, la camionnette est équipée d'un hayon arrière électrique. Mathilde met cinq minutes à trouver le bouton de commande, mais enfin elle y parvient. Reste à rouler le corps emballé jusqu'au plateau, à le faire monter, à le tirer jusqu'à l'intérieur, merde, Henri, je n'en peux plus ! Mais s'arrêter maintenant, c'est le plus grand danger. Il lui faut puiser dans ses réserves pour trouver la force, mais enfin, un quart d'heure plus tard, le paquet est dans le sac en plastique, elle pompe, assise sur un siège pliant fixé à l'arrière du véhicule, le sac se contracte progressivement, finit par épouser la forme de son contenu, Mathilde est emballée par ce système !

Elle porte dans la camionnette les affaires rassemblées sur la table de la cuisine, elle est fatiguée, en nage, et elle a mal aux genoux, aux bras.

Remarque, Henri, je ne t'en veux pas vraiment. Je me suis mise en colère, mais avec moi, tu le sais, ça ne dure jamais longtemps. C'est seulement que tu m'as fait un peu peur, je dois bien te l'avouer, quand j'ai vu passer ce type avec sa fourgonnette de la mort… Je sais, tout est oublié maintenant et tout va recommencer comme avant parce qu'au fond, tu l'aimes, ta Mathilde, vieux grigou, ta ta ta ta, tu l'adores ta Mathilde, ne me raconte pas d'histoires ! Oh, aujourd'hui, c'est plus pareil, mais autrefois tu l'aurais bien voulue, la Mathilde, pas vrai ? Eh bien, je vais te dire que moi aussi, Henri. C'est bête, hein ? Ce sont les circonstances, la vie, tout ça, mais comme c'est bête…

Elle met le chien sur la terrasse, dans son panier, ferme la maison, laisse la baie vitrée entrouverte pour que le chiot puisse gambader un peu dans le jardin. Puis elle démarre lentement, roule le long de l'allée jusqu'à la grille et rebelote, je descends, j'ouvre la grille, je remonte, j'avance et que je redescends et que je ferme la grille, oh là là, c'est décidé, dès que je rentre, je fais installer un portail électrique, tant pis pour la dépense !

Mathilde avance le fauteuil, cherche la position confortable pour conduire.

C'est vrai qu'on était de fameux amis, tous les deux, on en a fait des coups pendables, tu te souviens ? De ces coups ! Remarque, à l'époque déjà, tu te méfiais de moi. Ne dis pas le contraire, allons ! Pourtant j'étais comme maintenant, toute pareille. Mais oh, c'est loin tout ça… L'histoire de ce matin, c'était rien que pour me faire peur, je le sais bien, mais ça n'est pas bien, Henri, on n'agit pas comme ça entre amis.

– Tiens, le voilà, lui !

Elle vient de croiser la voiture de Lepoitevin qui rentre de ses courses.

À tout à l'heure, lui dit-elle mentalement.

Elle aborde l'autoroute, il est onze heures du matin. Allez maintenant, en route !

Parce que, tout de même, y a pas, Henri, faut qu'on discute tous les deux.

*

Le commandant a pris son repas de midi comme si de rien n'était. Chez lui, le célibat remonte à la plus tendre enfance, il a appris à s'organiser. Et à réfléchir seul.

Il a fait et refait ses calculs, vérifié ses hypothèses, il en est maintenant convaincu, le plan Buisson a échoué.

Buisson l'a appelé une première fois la veille, à midi trente-quatre.

– J'ai pris contact avec la cible, tout se passe très bien.

– Vous comptez la rencontrer quand ?

– Je vais vous le confirmer dans la soirée, mais avant demain matin, c'est plus que probable.

Il a appelé une seconde fois à vingt-deux heures quarante.

– La cible a tiré le rideau, tout se passe très bien.

– Et pour le contact ? a insisté Henri.

– Je pense qu'il sera établi dans trois heures. Quatre dans le pire des cas.

Et il a poursuivi avant qu'Henri lui pose la question :

– Je vous confirmerai le contact tôt demain matin. Sans doute vers six heures. Au plus tard, neuf heures.

Il est midi et demi. Buisson n'appellera plus.

Et donc Mathilde va venir lui rendre visite elle-même. Elle ne prendra pas l'avion.

Elle pourrait être à Toulouse demain. Reste à savoir combien de temps elle attendra avant de se décider.

Henri a consciencieusement fait son brin de vaisselle, bu ses trois tasses de café assez fort et s'est accordé un cigare dans le jardin, à événements exceptionnels, plaisirs exceptionnels. Il observe les parterres fleuris, le garage sur le côté, la grange qu'il a fait solidifier quelques années plus tôt. Et tout en observant les alentours, il poursuit sa réflexion, analyse les différentes possibilités.

Ce qui va arriver maintenant est inévitable.

Que Buisson, qui n'était pas n'importe qui, se soit fait cueillir l'incite à prendre pas mal de précautions.

Pour autant, il ne se précipite pas. La vie lui a appris que les choses arrivent rarement telles qu'on les prévoit. Se protéger totalement, ici, dans cette maison, est une tâche bien difficile. En achevant son cigare, il se dit de manière assez philosophe qu'il faudra aussi compter sur la chance. Il passe néanmoins au garage et sort, sur l'établi qui lui sert pour de menus bricolages, ce dont il a besoin.

*

Occhipinti est très agacé. Il est revenu de chez le juge les poches gonflées de sacs en papier contenant toutes sortes de graines riches en lipides dont, deux heures plus tard, il a renouvelé le stock, ça promet. Plus ombrageux que jamais, inquiet et colérique, il a soutenu devant le juge que la cause de la mort de son inspecteur est à chercher dans la présence de cette infirmière. Il l'appelle la Jaune, pour lui, Cambodgienne, Vietnamienne, Laotienne, tout ça, c'est du pareil au même, des niakouées. Sauf qu'on n'avance pas d'un pouce avec les frères Tan. Le juge a estimé qu'il fallait les relâcher, à moins d'avoir une preuve de leur participation au double meurtre de Neuilly, preuve dont on ne dispose pas.

Les frères Tan sont deux petites frappes au caractère assez cruel, violents et ambitieux, que la mort de leur sœur a mis dans une vive colère. La peine viendra plus tard. Ils ne sont pas d'une intelligence hors norme. Ce qu'ils ont réussi professionnellement est très modeste. Ce qu'ils ont acquis doit davantage à leur brutalité et leur absence d'affects qu'à leur stratégie, parce qu'ils n'en ont aucune. Occhipinti les regarde, assis côte à côte. Selon lui, les assassins se recrutent parmi les concurrents, les ennemis des frères Tan. Le mobile doit se situer du côté du conflit de territoire, d'une livraison qui a mal tourné. Ce doit être suffisamment important pour que des rivaux soient allés trucider la sœur, on ne lance pas un avertissement de cette portée sans de sérieuses raisons. On a interrogé les indics, les flics du quartier, les Stups, mais personne n'a connaissance d'un conflit de concurrence ou d'une action récente des frères Tan susceptible de déclencher l'ire de rivaux sanguinaires…

– Vous allez les relâcher, a dit le juge.

Occhipinti va obtempérer.

Il est dans ses petits souliers parce que cette garde à vue va avoir des conséquences qui n'ont pas échappé au juge. En mettant le focus sur l'action d'une bande rivale, on a fourré dans la tête des frères Tan le virus de la vengeance. S'ils étaient moins cons, on ne craindrait rien, mais leur esprit fonctionne en mode binaire. On a ouvert la boîte de Pandore et peut-être donné le signal de départ d'une guerre des gangs. Ces règlements de comptes entre truands, surtout chez les plus minables, tournent facilement au pugilat. Ça défouraille dans tous les coins pendant des semaines, un meurtre en entraîne un autre et ça ne se calme pas facilement.

– Allez, dit le commissaire, on les relâche.

Quand ils sortent de la PJ, on jurerait deux furets à l'ouverture de la chasse.

Le commissaire retourne alors à l'hypothèse Vassiliev et relit toutes les notes de l'équipe chargée d'éplucher le travail de l'inspecteur. Il voit défiler, dans l'ordre inverse où elles sont arrivées, toutes les sales besognes qu'il lui a imposées, viols de filles, de femmes et d'enfants. Il comprend aujourd'hui la raison de ce choix. Bien sûr, maintenant qu'il est mort, pour le commissaire, l'ex-inspecteur est un brave garçon, il oublie qu'il l'a détesté parce qu'il déteste trop de monde, et trouve rationnel d'avoir confié autant de ces cas de sexualité violente voire déviante à un homme qui n'avait jamais aucune réaction sexuée. Jamais personne n'a entendu Vassiliev se livrer à une de ces blagues sexuelles dont les femmes et les homosexuels sont toujours les héros ridicules et qui, depuis des temps immémoriaux, font la joie des casernes et des commissariats.

Rétrospectivement, le commissaire est admiratif de la santé mentale de son ex-subordonné parce que ces affaires lui collent le bourdon, certaines l'empêcheront même de dormir, il passera la nuit assis dans son lit à côté de son épouse, à engloutir des poignées de noix de cajou.

*

La route est très fatigante. Ce genre de camionnette a beau être ce qu'il y a de plus moderne, c'est quand même épuisant.

Il y avait bien l'avion, mais ça laisse plus de traces que la route, il faut montrer ses papiers au départ, passer la police de l'air…

Mathilde dispose d'un passeport de rechange.

Tiens, voilà encore quelque chose qu'il va falloir dire à Henri. Il lui a été remis par les Fournitures il y a quatre ou cinq ans pour une mission à Malmö, une vraie galère, on aurait pu la payer plus cher tellement c'était compliqué (ça aussi, penser à en parler à Henri, les tarifs n'ont pas évolué depuis pas mal de temps, elle n'est pas à cheval sur la rémunération, mais tout de même). Et donc, elle devait se défaire du passeport comme des armes, mais elle l'a conservé. Une précaution. Elle ne sait absolument pas si elle pourrait quitter le pays avec cette identité, elle est peut-être neutralisée, mais intuitivement, Mathilde pense que non, personne ne s'est préoccupé de couper cette branche, tout le monde l'a oubliée, elle en est presque certaine. Comment s'appelait-elle pour cette histoire à Malmö ? Ah oui ! Jacqueline Forestier ! Elle déteste ce prénom. Passer quatre jours sous l'identité d'une Jacqueline, c'était presque pire que la mission elle-même.

Bref, elle a choisi de se rendre à Toulouse par la route.

Elle va même éviter l'autoroute, pas de risque d'être remarquée au péage pour une raison ou une autre. Cette fourgonnette est assez repérable, quelqu'un, bien sûr, peut se souvenir de l'avoir vue quelque part, mais il y a des milliers de camionnettes professionnelles portant des milliers d'enseignes, on ne les voit même plus. Or le type que lui a envoyé Henri était un bon professionnel. Le genre à prendre des précautions, donc relier ce véhicule à Mathilde Perrin sera très difficile et sans doute impossible. Sauf erreur de sa part. Elle s'en sortira, comme toujours, parce qu'elle est à peu près insoupçonnable, mais il lui faut rester attentive et prudente.

La radio l'agace, on n'y apprend jamais rien, il y a longtemps qu'elle a coupé le poste. Prendre un auto-stoppeur ? On ne sait pas sur qui on tombe, ça n'est pas prudent. Sans compter qu'elle n'est pas la conductrice naturelle pour ce genre de véhicule, elle a intérêt à se faire petite, à ne pas se montrer, hormis les nécessités.

Alors, elle prend son mal en patience, elle roule, roule, roule. Et avec les kilomètres, roulent les souvenirs. C'est peut-être parce que Henri est au centre de ses préoccupations en ce moment qu'elle pense à son mari, le Dr Perrin. Raymond. Tu fais semblant de ne pas t'en souvenir, Henri, mais je suis certaine que tu triches. Ces premiers mois après la guerre, tu sais comme ils ont été décevants. Comme la vie d'après n'a plus jamais eu cette tension, cette intensité que nous avions connues, que nous avions aimées. Et comme l'attraction qui nous aimantait l'un vers l'autre, privée de son prétexte, nous apparaissait comme une déception. Alors que c'est la vie qui était décevante, qui déméritait, incapable de nous récompenser à la hauteur de nos attentes. Adieu les vibrations et les angoisses, la fébrilité, la peur, la merveilleuse, l'incomparable et sublime peur de mourir. Tu étais toujours beau, Henri, mais tu n'étais plus que cela. Tout nous rappelait à la norme. Mon père médecin voulait que j'épouse un médecin, ma mère trouvait délicieux de me voir adopter la même vie qu'elle et je n'ai résisté à rien parce que rien n'avait plus vraiment de goût. Ah, Henri, comme tu m'as manqué. Pas le Henri qui venait me rendre visite avec des fleurs, des chocolats, non, celui du maquis, le bel Henri qui décidait, tranchait, organisait, qui était partout calme et droit…

Et donc, le Dr Perrin, qu'est-ce que tu veux… Tu sais comme je me suis efforcée d'être l'épouse qu'on attendait de moi ! Comme c'était ennuyeux…

Raymond, j'ai compris pourquoi il était mort le jour de ses funérailles. Lorsque je t'ai aperçu dans la foule des pleureuses, tu te souviens.

C'est drôle, quand je me rappelle ce moment, je nous vois bras dessus, bras dessous, marcher vers le catafalque comme si nous étions des mariés.

Mathilde roule très lentement parce que les larmes ruissellent sur son visage. Elle entend des cloches. Est-ce le glas pour la mort du docteur ou le carillon du mariage ? Ce sont les voitures qui klaxonnent derrière elle. Il faut s'arrêter, il y a un grand parking quasiment désert, avec seulement quelques semi-remorques étrangers, elle se gare, ne parvient pas à endiguer le flot de larmes qui l'oppresse. Elle se mouche, cherche sa respiration. C'est l'épuisement qui la gagne. Elle ne sait pas quelle heure il est, ni même où elle se trouve, rien n'a plus grande importance. Elle évite de se montrer, alors elle passe de l'avant à l'arrière sans sortir du véhicule, acrobatie pénible. Elle y arrive enfin, s'allonge sur le plancher, à côté du colis sous vide, le duvet de montagne est proprement plié dans un coin.

Elle s'y glisse tout habillée. Ça ne sent rien, surtout pas l'homme, elle détesterait ça, ne pourrait pas dormir, mais là, ça n'est pas le cas.

Le temps de fermer les yeux, elle s'endort d'un sommeil lourd et sans rêves.

*

Et vers dix-sept heures, elle reprend la route.

C'est assez curieux, au bout d'un moment, Mathilde baisse la tête vers le volant comme si elle pilotait une moto en plein vent.

Ludo lui manque. C'est tout de même une compagnie, un chien, pas à dire. Difficile de s'en passer, surtout quand on vit toute seule à la campagne et qu'on a un jardin. Les chiens adorent les jardins et celui de La

Coustelle est l'un des plus beaux du coin. Elle pense au jeune cocker et elle se demande s'il sera plus affûté que Ludo. Ça ne sera pas difficile, il était gentil, caressant, mais ça n'était pas une lumière, pour lui faire comprendre quelque chose… Si Cookie ne se révèle pas plus malin, elle n'aura vraiment pas de chance d'être tombée coup sur coup sur deux tocards…

Quand elle doit se rendre chez sa fille, la question du chien flotte dans l'air en permanence. Elle n'aime pas les chiens, mais elle n'aime rien et Mathilde, finalement, n'aime pas beaucoup sa fille, elle a été trop déçue par elle. Elle est toujours étonnée, en la voyant, de réaliser que cette enfant est sortie d'elle. C'est un accident génétique, ou un accident tout court. Mathilde n'aime pas beaucoup les enfants, moins que les chiens. Déjà jeune femme, elle ne les aimait pas trop. Son mari lui reprochait de ne pas en faire, il prétendait que cela fait du bien aux femmes et assure le bonheur des couples. Il avait des idées comme ça, Raymond, toutes faites, déjà reçues quand elles vous arrivaient. Les satisfactions de la maternité ont été minces, se dit Mathilde quand elle y repense. Elle a l'impression qu'elle avait épuisé le sujet avant que sa fille ait un an. Elle a fait son devoir. Mathilde aime n'avoir rien à se reprocher.

Le crépuscule arrive lentement. La sieste de milieu de journée est loin et Mathilde se dit que rien ne presse, Henri n'est pas prévenu de sa venue, il ne l'attend pas, donc il n'a aucune raison de s'inquiéter. Elle est contente de lui faire une surprise. Mais ça ne sera pas comme ta visite à toi, vieux chameau, juste le temps de me faire des reproches et de repartir, non, avec moi, ce sera autre chose, je peux te le promettre, on va avoir une vraie conversation, je te réserve quelques surprises, tu verras, non, ne me demande pas, je te dis que c'est une surprise !

Mathilde ralentit dans un village parce qu'un panneau annonce une auberge, qu'elle trouve en effet quelques kilomètres plus loin, perdue dans la campagne. C'est bien, c'est calme, c'est propre, tout à fait ce qu'il lui faut.

Comme il n'y a qu'un représentant de commerce et un couple de retraités en voyage, l'aubergiste, après le repas du soir, est content de venir discuter avec les clients.

– Alors comme ça, vous nous venez de Belgique ?

Mathilde fronce les sourcils et ça lui revient, la camionnette.

– Oui, en ligne droite.

– J'ai vu votre enseigne, entreprise de nettoyage, c'est ça ?

– C'est ça, dit Mathilde, on fait dans le nettoyage.

L'aubergiste ne l'a pas trouvée très communicative. Il est allé tenter sa chance auprès des retraités.

La chambre est belle, la fenêtre donne sur l'entrée, le parking gravillonné. De là, elle voit la camionnette. Penser à l'essence, elle n'a pas regardé la jauge, il faut le faire. Un dernier coup d'œil sur le véhicule avant d'aller prendre un repos bien mérité.

Et reconstituer des forces pour Toulouse qui ne sera pas du gâteau.

18 septembre

Le lendemain, en milieu de matinée, elle se rend compte que la jauge d'essence va l'obliger à s'arrêter. Elle craint même de s'être inquiétée un peu tard de la présence d'une station-service… Elle lève le pied, serre le volant, manquerait plus qu'une panne d'essence, elle ne se voit pas marcher le long de la route comme ça, en fin de journée, quoi, cinq kilomètres ? Dix ? Il faudrait abandonner le véhicule en rase campagne, marcher, trouver une gare… Elle s'en fait déjà toute une montagne quand arrive Peyrac, un village-rue et, au bout, une station miraculeuse. Elle l'embrasserait, ce pompiste qui a eu la bonne idée de s'installer ici.

Mathilde se range, coupe le moteur, retire ses chaussures, écarte les doigts de pied, quel bonheur.

Quand elle en aura terminé avec tous ces embarras, elle choisira le bien-être. Pas celui de sa fille et de son con de mari, un vrai bien-être, au bord de la mer, quelque part au soleil. Qui sait si Henri ne sera pas tenté par l'aventure ? Ils n'ont plus l'âge de batifoler comme ils auraient pu le faire autrefois s'ils avaient été moins coincés, mais lui aussi commence à vieillir, depuis le temps qu'ils doivent en parler… !

Elle va lancer la conversation sur le sujet.

Tandis que le pompiste prend les clés et remplit le réservoir, elle remet ses chaussures, sort de la voiture et, tout en marchant d'un pas tranquille, se laisse bercer par l'image d'une maison basse avec une cheminée pour l'hiver qui, de toute manière, sera doux comme un printemps de jeunesse et d'un village avec un restaurant très fin où elle décidera Henri à aller de temps en temps, le soir, pour rompre les habitudes. Ils évoqueront aussi, mais pas trop souvent, leurs souvenirs. Elle lui expliquera que, contrairement à ce qu'il a cru, elle ne s'est jamais ennuyée avec le Dr Perrin (c'est comme ça qu'elle l'appelait, même de son vivant), mais simplement, elle ne pouvait rien faire avec lui, c'était comme un poids mort. Et elle saura lui extorquer la réponse à la question qui lui brûle toujours les lèvres : pourquoi donc, Henri, ne t'es-tu jamais marié ? Avec un peu de chance et beaucoup de sincérité, il répondra que la seule femme de sa vie, c'était elle, et les jours passeront dans une tranquillité délicieuse, entre les après-midi de lecture sur la terrasse, les caresses au chien, car ils en auront un, et une virée parfois au casino pour se donner des sensations avec tout l'argent qu'ils ont ramassé l'un et l'autre et pas volé, ça on peut le dire !

Le pompiste vient d'achever le plein et s'attaque au pare-brise. Mathilde s'approche de la boutique. Elle a un petit creux. Elle déambule entre les rayons et choisit deux paquets de biscuits, tant pis pour le régime, puis elle les repose, il faut faire attention quand même. Évidemment, Henri ne sera plus jamais séduit par son sex-appeal, mais il sera plus tenté par une Mathilde encore élégante et montrable que par un pot à tabac. Elle voit son image dans la vitre de la boutique, arrange ses cheveux qui tombent en mèches sur son front et adresse un sourire à Henri auquel, de son côté, l'employé répond en souriant lui aussi. Et pas de pays étranger, hein ! On ne s'est pas battus comme des beaux diables pendant toute cette guerre pour se retrouver aux Bahamas ou en Sardaigne, certainement pas ! En revanche, et là Mathilde plisse les yeux d'un air rusé, un petit voyage de temps en temps, c'est bon pour éviter l'encroûtement. Un week-end à Florence ou à Vienne. Ou une croisière. C'est une chose qu'elle n'a jamais faite, une croisière. Henri se fera tirer l'oreille, mais elle saura le convaincre, elle y est toujours parvenue. Elle sait s'y prendre avec lui.

– Une croisière sur le Nil.

– Pardon ?

Mathilde regarde le pompiste.

– Non, rien.

L'Égypte pleine de mystères ? Un peu cliché ? Oui et non.

Lorsque l'employé lui adresse de nouveau la parole, Mathilde a devant elle la silhouette d'Henri (quelle élégance, cet homme, et jamais malade, pas comme son médecin de mari, non, Henri c'est quelqu'un de sain, tant mieux, elle n'aura pas le couvert à remettre avec les ordonnances, les soins, les repas seule et les soirées à l'entendre marcher au-dessus, dans son bureau, pour calmer ses douleurs), oui, la silhouette d'Henri, toujours son petit foulard à l'échancrure de sa chemise impeccable, bah tiens, ça aussi, c'est cliché, si tu vas par là, Henri ! Et la mer, le soleil, la cheminée, les pyramides, le chien et un peu de musique, et ça fait deux cent trente francs, madame.

Mathilde sort les billets de son sac, prend sa monnaie et s'en va.

Elle pourrait être à Toulouse en début de journée, elle n'a rien à y faire, autant se reposer sur le chemin. Rouler quelques kilomètres et chercher un endroit, s'offrir un petit somme. Ce soir, il faudra être en forme pour convaincre Henri, trouver les mots. Elle remonte en voiture en relevant sa jupe pour ne pas la froisser davantage. Elle pose son sac sur le siège passager et reprend la route.

Et le doute lui vient.

Tout en conduisant d'une main, elle attrape son sac, l'ouvre, fouille la poche intérieure où elle range la monnaie. Elle pose le tout sur sa jupe, entre ses cuisses, et, un œil sur la route, l'autre sur sa monnaie, elle recompte. Il manque cinquante francs. Il devrait y avoir un billet de cinquante et il n'y est pas. En d'autres temps, Mathilde en aurait fait son deuil, l'argent n'a pas vraiment d'importance, mais elle a des principes. Et puis, c'est peut-être la fatigue, ou cette période qui vous met sur les nerfs, en tout cas elle est saisie d'un brusque sursaut de pugnacité. Elle continue de rouler, littéralement obnubilée par ces cinquante francs que le pompiste a oublié de lui rendre ou, pire, qu'il lui a carrément arnaqués en voyant qu'elle était un peu ailleurs.

Mathilde, fulminante, cherche un endroit où faire demi-tour, elle va retourner à la station-service et dire à ce type ce qu'elle pense de ses manières. Et elle espère qu'elle ne sera pas déserte comme tout à l'heure, qu'il y aura de la clientèle à ce moment-là et qu'ainsi tout le monde saura que ce pompiste est un voleur et pas d'excuse possible, elle ne repartira pas sans avoir été remboursée, merde alors.

La route est bordée de champs et le bas-côté est étroit. Elle s'éloigne de plus en plus, elle va perdre du temps alors qu'Henri l'attend, si impatient de la voir, tant pis pour les cinquante francs. Il n'est pas exclu, par contre, qu'elle s'y arrête au retour pour lui dire son fait, à ce type. En plus, profiter d'une femme d'âge, c'est tellement bas.

Elle en est là de ses réflexions quand elle aperçoit un chemin de terre qui s'enfonce dans les champs. C'est un signe du destin. Demi-tour, elle reprend la route en sens inverse. Sa colère, maintenant qu'elle a rebroussé chemin, tourbillonne dans sa tête fatiguée. Elle roule vite sous l'emprise de cet échauffement qui lui fait monter le rouge au front. Elle freine à l'arrivée dans la station. Personne. Tant pis, elle fera un scandale entre quatr'z'yeux. Elle se gare devant la boutique, sort de la voiture, claque la portière derrière elle.

Il n'y a personne, elle ressort.

– Vous avez oublié quelque chose, ma petite dame ?

Elle le voit, dans la partie garage, sur cette espèce de civière à roulettes qui permet de s'allonger sous une voiture. Il a juste passé la tête à l'avant du véhicule qu'il est en train de réparer, c'est un jeune gars, elle l'a à peine remarqué. À sa figure, il lui semble tout à fait le genre de type à imaginer qu'on peut escroquer cinquante balles à n'importe quelle petite vieille. Elle va vers lui à pas vifs. Il sourit, intrigué, prêt à rendre service. Il saisit le pare-chocs juste au-dessus et donne une secousse à la civière à roulettes pour pouvoir s'extirper et se relever. Il n'en a pas le temps, Mathilde a attrapé au passage un démonte-pneu posé sur un grand bidon d'huile et, alors qu'il est encore allongé sur le dos, les mains au sol pour se relever, elle lui abat la barre de fer de toutes ses forces entre les jambes, il pousse un hurlement horrible.

Mathilde lève de nouveau le démonte-pneu et lui fracasse la tête, la barre est entrée dans le crâne d'au moins dix centimètres, c'est terminé. Salaud !

Je crois que cette fois, il a compris, se dit-elle. Elle fouille dans la poche du pompiste, en tire une poignée de billets, prélève un billet de cinquante et remet le reste à sa place. Mathilde est une femme honnête.

Elle revient à la camionnette, se retourne, le crâne laisse apparaître des morceaux de cervelle, c'est pas joli à voir. Heureusement, elle ne s'est pas tachée, manquerait plus que ça !

Elle se remet au volant, effectue tant bien que mal une marche arrière, elle n'a pas encore le gabarit du véhicule dans l'œil. Elle va ouvrir le hayon, descend tranquillement le plateau électrique, tire la civière à roulettes et remonte le tout. La civière porte bien son nom, se dit-elle. Elle tient pile-poil à côté du tapis roulé. Vous allez vous tenir compagnie.

Après quoi elle descend du véhicule. Il y a une flaque de sang et de cervelle en plein milieu du passage et par bonheur un bidon rempli de sciure de bois. C'est dangereux, ça, quelqu'un pourrait glisser et se faire mal ! se dit-elle en en jetant quelques poignées, après quoi, elle remonte au volant et quitte la station.

Elle reprend la route, regarde sa montre de bord, ce qui serait bien, c'est de trouver un endroit calme pour mettre le pompiste dans une camisole de la morgue.

Mathilde, vingt minutes plus tard, s'arrête dans un chemin en lisière de forêt. Il lui faut moins d'une demi-heure pour glisser le pompiste dans un sac étanche et faire le vide.

Elle balance la civière dans les fourrés.

Les deux sacs sont rangés sur le plancher côte à côte.

C'est impeccable, ces trucs-là, il faudra que j'en parle à Henri.

*

Mathilde est à Toulouse et voilà qu'il pleut. Elle se réjouissait de faire les boutiques et la pluie ne cesse de dégringoler, un vrai déluge. Impossible de sortir dans la rue sans être trempée de la tête aux pieds.

Elle s'est garée dans un parking en ville. Elle a opté pour le premier hôtel correct qu'elle a trouvé sur son chemin, où elle réserve pour deux nuits.

La pluie l'empêche de partir en maraude le nez au vent, et prendre un taxi, hors de question, pour laisser une trace derrière elle, il n'y a pas mieux...

Elle s'est changée (elle n'a pas pris grand-chose, il ne faudrait pas que le séjour s'éternise).

La seconde partie de l'après-midi se passe à sillonner les alentours. Vers dix-huit heures, elle a trouvé ce qu'elle cherchait, un endroit tranquille. Elle réfléchit longuement, conclut qu'elle ne trouvera pas mieux. De retour à l'hôtel, elle reprend l'étude de la carte d'état-major achetée dans une papeterie.

La propriété d'Henri est située à l'écart d'un village, isolée, c'est bien lui. Il ne se mélange pas avec le bas peuple, notre Henri, elle sourit, sacré Henri. Elle entoure les endroits clés, vérifie son matériel qui tient à peu de chose : son sac comprenant ses outils, qui est du coup assez lourd, elle sourit, on dirait qu'elle se rend au Salon de l'armement.

Par flemme de ressortir, elle dîne au restaurant de l'hôtel, monte à sa chambre, prend une douche, aligne ses vêtements et se met au lit.

Réveil à minuit.

La sonnerie la sort d'un rêve épais, obscur, plein de chiens... Ah oui, le voisin, M. Lepoitevin... Décidément, celui-là, elle recule toujours le moment d'aller s'expliquer avec lui, il ne sait pas quelle chance il a de bénéficier d'un tel sursis... Elle rumine cette histoire de voisinage, c'est bien triste, ce serait si simple de bien s'entendre...

Au rez-de-chaussée, dans le hall, il y a un distributeur de boissons chaudes et de biscuits, elle se sert du café, mange des madeleines.

Par-delà le parking de l'hôtel, c'est une nuit obscure, juste un quartier de lune qui produit une lumière laiteuse comme une aurore boréale. Elle se sent parfaitement éveillée, c'est tout à fait le moment d'aller enfin rendre visite à Henri.

*

Comme il l'a prévu, le commandant a éteint toutes les lumières à vingt et une heures, ne laissant allumée que la lampe du petit corridor qui prolonge le salon et conduit à un cabinet de toilette. Au fond, une pièce de quatre mètres carrés à peine, se trouve une porte, autrefois condamnée, qu'il a fait rouvrir parce qu'il aime sortir dans le jardin après être passé sous la douche. La lumière du corridor éclaire de loin une partie du salon. Le commandant s'est installé dans un fauteuil, dans l'ombre, face à la porte qui ouvre sur la terrasse, les jambes allongées, les mains posées sur les accoudoirs. Il écoute le silence plein de bruits, un craquement par-ci, un frôlement par-là. Il épie chacun d'eux avec une attention particulière, analysant sa provenance, détaillant son origine. Il fait cela depuis la tombée de la nuit, mais il n'a plus l'âge des veilles d'antan où le corps tout entier est disposé à résister à toutes les fatigues. Insensiblement, son attention s'est relâchée et il se surprend à remarquer soudain un léger crissement, un cliquetis inattendu, comme s'il s'était assoupi et que son subconscient venait de le rappeler à l'ordre et à l'urgence de l'instant. Le commandant ne dort pas. Il fatigue juste un peu. Assis dans son fauteuil, face à la porte. Par nuit plus claire, ainsi installé, il peut voir les peupliers frissonner, mais comme c'est une demi-lune, de l'autre côté de la baie vitrée, ce ne sont que des formes floues, indistinctes. Le commandant est sans impatience. Il n'attend qu'un seul bruit, celui qui lui dira que Mathilde est là. Si jamais elle arrive jusqu'à lui. C'est possible.

Peu probable, mais avec elle…

Il l'attend calmement, parfois il espère sa venue, il se sent presque impatient.

*

La montre de bord affiche une heure quinze lorsque Mathilde passe devant la haute grille en fer forgé qui protège la propriété. De chaque côté s'étend le mur de clôture, centenaire, tout en pierres sèches. Il y a près de vingt ans que Mathilde entend Henri dire qu'il faut le rebâtir, qu'il s'écroule ici ou là. À mon avis, si le mur s'écroulait vraiment, il y a longtemps que ce cher Henri aurait procédé aux réparations, il n'est pas du genre à laisser filer des choses comme ça…

Elle va se garer dans un chemin à deux cents mètres de là.

Au moment de quitter la camionnette, elle réfléchit, mais rien ne lui vient qui l'aide à choisir. Avec quoi partir ?

Elle opte pour le Desert Eagle, parce que c'est l'arme pour laquelle elle dispose du plus grand nombre de munitions. L'expérience lui a appris qu'on n'a jamais besoin de beaucoup de choses. Quand il faut beaucoup de munitions, c'est que la situation a dégénéré et elle est trop âgée, trop lourde, trop lente pour faire face. Si elle n'arrive pas à ses fins rapidement, ses chances ensuite seront quasiment réduites à zéro.

Elle descend du véhicule, verrouille les portes et s'en va faire patiemment le tour de l'enceinte, à pied.

Et elle a raison, Henri s'est enfin attelé au problème : en quelques endroits le mur a été entièrement dégagé et remplacé par un grillage rigide, très haut, un treillage fort, pas le genre que vous pouvez tordre à la main. À palper le mur, le tour lui prend pas loin d'une heure, on n'y voit pas grand-chose, bien qu'il n'y ait quasiment pas de nuages. Mais enfin, ça y est, elle a trouvé une faille, juste un petit éboulis qui plonge vers des ronces, seules les pierres du haut sont parties, un garnement monterait là-haut, mais la grosse Mathilde, souple comme un baobab, n'a pas une chance.

L'étonnant chez elle, c'est qu'elle ne doute jamais, d'ailleurs, regardez-la, en pleine nuit, entreprendre un nouveau tour du propriétaire, marcher dans les ronces, écarter les branches à deux mains, souffler comme une baleine, mais avancer, tâter le mur, tester le grillage, c'est un bulldozer, cette femme-là. Elle se dit que si elle ne trouve pas le moyen d'entrer, il faudra changer de stratégie, elle reviendra demain, elle s'y prendra autrement.

Et Mathilde démontre admirablement que l'entêtement est parfois payant, car au second tour (il n'est pas loin de deux heures et demie du matin), elle repasse devant l'une des parties où a été installé un fort grillage rigide et elle se rend compte qu'un figuier a enfoncé une petite partie du mur. Elle pousse à deux mains une pierre qui s'effondre de l'autre côté, sans bruit, amortie par l'herbe haute. C'est un peu difficile de se frayer un passage, il lui faut chercher une branche solide, faire levier sur les pierres pour les rejeter vers le parc, elle en perd le souffle, manquerait plus que je cane ici d'un arrêt du cœur, à deux pas de chez Henri, merde alors, ça la revigore de penser des choses pareilles.

Une vingtaine de minutes plus tard, Mathilde a ménagé un trou assez large pour qu'elle tente de s'y faufiler. C'est un peu haut, il lui faut monter sur une pierre, sur une autre, et quand elle passe, elle doit s'asseoir, laisser pendre ses grosses jambes, et là, pas moyen de faire autrement, elle lance son sac devant elle et tâche de se retourner, les fesses dans le vide, elle tâte du bout du pied pour chercher le sol, l'herbe, elle ne peut que lâcher prise, elle tombe à la renverse, ça provoque un gros bruit, elle s'est tordu la cheville, c'était fatal, elle n'a plus l'âge de ces conneries…

Elle se relève, ça n'est pas grave, c'est bien le seul avantage d'avoir un gros cul, se dit-elle.

Le bas de sa robe est déchiré, elle a un peu mal, elle boite légèrement, mais rien de cassé, rien qui l'empêche maintenant de traverser le parc pour aller rendre visite à ce cher Henri.

*

Le commandant, assis au fond de son fauteuil, repasse mentalement l'ensemble des opérations, graissage de la poignée, fixation du carreau de ciment légèrement descellé, balayage du seuil pour qu'aucun gravier ne vienne glisser sous la porte à l'ouverture… Pour le reste, c'est le fil de nylon à moins de trois millimètres du sol, il ne voit pas très bien ce qui pourrait ne pas fonctionner. Soit elle marche dessus et il est prévenu, soit elle l'arrache et il est prévenu, soit elle passe par-dessus sans le voir, mais comme il y en a six tout autour de la terrasse, elle n'a quasiment aucune chance de ne pas en rencontrer un. C'est toujours possible, se dit-il, mais c'est peu probable. Et dans ce cas, il a sa seconde couverture. Le commandant n'est pas tranquille, la tranquillité, dans ce métier, c'est un ticket pour le cimetière, mais il est aussi serein qu'on peut l'être quand on a tenté de parer à toutes les éventualités.

Elle va faire le tour et entrer par la porte de derrière, voilà la conviction d'Henri. Sauf si elle est arrêtée avant. Et c'est bien ce qu'il espère, qu'elle n'arrivera pas jusque-là, que ces petits fils de nylon parfaitement tendus ne donneront jamais le signal de son passage parce qu'elle sera arrêtée avant.

*

C'est exactement ce que Mathilde se dit, elle aussi. Elle traverse le parc très lentement, d'abord parce qu'elle est fatiguée, ensuite parce qu'elle boite un peu de la jambe droite et que cette nuit est d'un noir intense, on n'y voit rien. Ça n'empêche pas de réfléchir, se dit Mathilde, et la voilà qui s'arrête. Elle est à trente mètres de la maison, elle distingue le garage à gauche, la grange à droite, juste en face, bien qu'il soit difficile de la voir

277

nettement, il y a la double porte-fenêtre qui donne entrée dans la maison. Et à l'arrière, la porte qui permet de passer de la cuisine au petit jardin, c'est par là qu'elle a l'intention d'arriver.

Si elle y parvient.

Parce que ce ne serait que de moi, se dit-elle, je ne laisserais pas mon invité venir jusque-là, je tâcherais de l'arrêter avant.

Elle pose un index sur ses lèvres, voyons, voyons… C'est très amusant de jouer ainsi avec Henri, c'est comme les joueurs d'échecs qui échangent leurs coups par la poste ou par télex. Le garage ? La grange ? C'est un pari parce qu'il n'y aura sans doute pas de seconde chance. Allons-y pour la grange, se dit Mathilde, on ne va pas y passer la nuit !

Elle jette un long regard circulaire. Pour se rendre compte, elle avance de quelques mètres, mais très peu de temps, elle craint d'être à découvert, alors elle regarde attentivement, prend note mentalement de la topographie et recule. Elle a vu ce qu'elle voulait voir.

*

Dieter a eu Mathilde pendant deux ou trois secondes en ligne de mire, mais elle a rapidement disparu. Elle ne va pas tarder à réapparaître. Pour ce qu'il en a vu, c'est une femme assez grosse, pas jeune et qui n'a pas l'air de se douter de quoi que ce soit. Elle s'est avancée sans crainte d'être vue. Dieter est allongé sur le sol de l'étage de la grange, il a calé son fusil à lunette et observe attentivement les quelques mètres par lesquels la cible va repasser pour gagner la maison… Par acquit de conscience, il balaye largement la zone, pour le cas où elle emprunterait un chemin plus au large.

Ce ne sont pas quelques secondes qu'il attend, mais une minute, puis deux, puis cinq, il balaye plus rapidement toute la zone. A-t-elle fait demi-tour ?

Dès qu'elle a eu reculé, Mathilde est partie sur sa gauche, le plus vite qu'elle pouvait marcher. Son pari, c'est que si Henri (et c'est ce qu'elle aurait fait à sa place) a placé un type à l'étage de la grange avec un fusil de précision, il attend qu'elle emprunte l'allée centrale. Après quoi, il sera pris d'un doute. Ne la voyant pas s'avancer, il pensera qu'elle est peut-être en train de faire le tour, et c'est exactement ce qui arrive, lorsque Dieter balaye le côté droit de la grange, Mathilde vient juste de passer. Il l'a manquée.

La voici devant la lourde porte en bois.

Deux solutions.

Soit ça grince, ça couine, ça fait du boucan, et c'est qu'il n'y a personne et que je me suis fichue dedans.

Soit ça coulisse aimablement, c'est qu'on a pris la précaution d'huiler les gonds parce qu'il y a là quelqu'un pour assurer l'accueil de la part de ce cher Henri.

Ça coulisse parfaitement, juste un chuchotement.

Mathilde entrouvre, se glisse à l'intérieur, repousse la

porte aussi doucement, sort son Desert Eagle et attend que son œil s'habitue à l'obscurité. Il règne là un silence bourdonnant. Elle commence à distinguer tout un bric-à-brac de vieux meubles et d'objets remisés, mais ce qu'elle observe avec toute l'attention dont elle est capable, c'est le plafond composé de larges planches de bois entre lesquelles passent un peu partout de minces rayons d'une lumière lunaire dans lesquels dansent des grains de poussière. Mathilde ne bouge pas, elle tient son arme à deux mains, les coudes contre sa poitrine, le canon dirigé vers le ciel. C'est une de ses forces : à condition d'avoir eu le temps de s'installer correctement, elle peut rester dans la même position un long moment, bien plus long que la moyenne des gens. C'est une course de lenteur qui a commencé entre elle et, s'il y en a une, la personne qui se trouve à l'étage, très certainement allongée avec un fusil posé sur un trépied. Rien ne se passe. Rien ne bouge. Mathilde compte dans sa tête (soixante, soixante et un, soixante-deux…), elle peut s'être trompée, mais pour le vérifier il n'y a rien d'autre à faire qu'attendre. Elle est solidement campée sur ses jambes, sa cheville ne lui fait pas mal, elle respire lentement, tout va bien. Si rien ne bouge (cent trois, cent quatre), c'est que le chargé de réception allongé à l'étage pense qu'elle est entrée dans la grange, mais comme il n'en est pas sûr, il attend lui aussi, ne bouge pas d'un cil (cent soixante, cent soixante et un…), il fait la même chose qu'elle. Le premier qui commet une faute a perdu. Ou presque. Parce que dans ce genre de situation, bien des choses peuvent survenir que l'on n'a pas imaginées. Henri peut surgir, ou quelqu'un d'autre, Mathilde peut être saisie d'un étourdissement, l'hôte de l'étage peut éternuer, tout peut se passer. Ça y est. Mathilde sourit. Aucun bruit, bravo, mais sa présence a été trahie par une minuscule traînée de poussière tombant du plafond dont les grains ont brillé en traversant un rai de lumière opaque. C'est à deux mètres d'elle, sur la droite. Elle regarde attentivement le sol, ce n'est pas le moment de se casser la gueule, se dit-elle. Pas d'obstacle ? Rien ?

C'est parti !

Mathilde s'avance résolument, fait deux pas, lève les bras, tend son arme vers le plafond et tire quatre fois, le bois éclate, les planches vermoulues se fendent, cassent, et Mathilde n'a que le temps de s'écarter parce que voilà Dieter Frei qui dégringole au rez-de-chaussée comme un ballot de linge sale avec, dans la poitrine, un trou dans lequel Mathilde pourrait passer les deux poings. Son fusil tombe à son tour. Affaire réglée.

Mathilde s'approche prudemment, son Eagle tendu, le bonhomme a eu son compte, mais elle ne peut pas s'en empêcher, elle lui tire une dernière balle dans les roustons.

Elle le fouille. Rien. Bien sûr, elle sourit. Elle est contente, Henri a été respectueux, il ne lui a pas envoyé les premiers tocards venus.

Elle en a sans doute pour un moment avec Henri, le temps de se parler, de s'expliquer. D'ici là, le type sera dur comme du bois, impossible à manipuler si elle le laisse comme ça, en vrac. Elle jette de la paille là où le sang coule à flots et, avec le bout du pied, rassemble les jambes, les bras le long du corps, qu'elle puisse au moins le faire entrer tout droit dans un des beaux sacs de la morgue. Voilà qui lui prend encore une dizaine de minutes.

Allez, maintenant, en route !

Elle recharge son arme, elle ne veut pas arriver chez Henri les mains vides, ça ne se fait pas.

*

Henri a compté quatre balles, puis, un peu plus tard, une cinquième.

Passé son premier réflexe de crainte, il ne peut s'empêcher d'être admiratif.

Cinq balles avec un bruit pareil, ça n'est pas le tireur qu'il a posté, c'est Mathilde. Quel diable de bonne femme ! Et c'est bien dans sa manière de s'annoncer ainsi.

Au fond, ça n'est pas plus mal. La vraie rencontre, c'est entre elle et lui. Elle va arriver par l'arrière et Henri, sortant par la porte d'entrée, va la prendre à revers.

Il retire ses chaussures, attrape son pistolet qu'il a posé au sol, un Beretta (Henri est un classique), et, dans la pénombre, il s'avance lentement jusqu'à la porte d'entrée. Il ne tarde pas à l'entendre marcher sur la terrasse comme une Indienne. À son âge… Quand Mathilde arrivera sur le côté de la maison, il ouvrira la porte, suivra le même chemin qu'elle, mais il sera dans son dos, avantage décisif.

Il sait qu'il doit tirer sans sommation.

Dès qu'il la verra de dos, il faudra l'aligner et vider son chargeur, ne pas laisser la moindre place au hasard.

Cet ultime instant avec elle sans même pouvoir la regarder, c'est un crève-cœur pour lui. En d'autres circonstances, il aurait aimé lui parler, lui expliquer, allez, disons-le, s'excuser, il va la tuer parce qu'il ne peut pas faire autrement, il est certain qu'elle le comprendrait si seulement ils pouvaient parler. Mais non, la vie est ainsi faite qu'il va devoir l'abattre de plusieurs balles dans le dos.

Voici le signal, la petite boîte d'allumettes posée sur le guéridon vient de frémir, Mathilde est arrivée au pignon de la maison, c'est le moment de sortir. Henri ouvre délicatement la porte, l'air frais de la nuit lui balaye le visage, il fait un pas sur la terrasse et sent aussitôt le canon d'une arme se plaquer contre sa tempe.

– Bonsoir, Henri, dit Mathilde d'une voix douce et calme.

Entre autres très belles qualités, on peut dire que le commandant est doué d'un incontestable fair-play parce qu'il se contente de répondre sobrement :

– Bonsoir, Mathilde.

*

Henri est revenu s'asseoir dans son fauteuil exactement comme en début de soirée, à ceci près qu'il a cette fois le canon d'un .44 Magnum braqué sur le ventre et devant lui une Mathilde blanche et tendue comme un arc. Elle choisit de s'installer face à lui. Ils se trouvent ainsi assis de part et d'autre de la cheminée éteinte comme deux vieux amis qui discutent sereinement et, comme souvent entre vieux amis, les sous-entendus vibrent dans l'air silencieux. Mathilde, qui a conservé son imperméable, a poussé un soupir de soulagement en s'effondrant dans le fauteuil.

Elle n'a pas demandé à Henri d'allumer d'autres lumières et maintenant qu'ils sont tous deux accoutumés à la pénombre de la pièce, il leur serait difficile d'y renoncer, à l'un comme à l'autre. L'ambiance est propice à la conversation, à la confidence et à la mort. Henri la devine autant qu'il la voit, en contre-jour dans la lumière laiteuse qui vient de la fenêtre. Ses cheveux se sont défaits, des mèches folles semblent accuser l'âge de la silhouette un peu désincarnée qu'il a devant lui.

Elle n'a pas lâché ni dévié son arme de la direction d'Henri, mais pour le reste, elle est naturelle, comme toujours.

– Ce que tu m'as fait courir, vieux chameau, dit-elle. Regarde un peu ça.

Elle montre le bas de sa robe déchiré, mais il est trop loin pour voir de quoi elle parle.

– Et ma cheville… Elle est enflée, non ? Je suis tombée. Tu as refait ton mur, non ?

– Il y a quatre ans, j'ai fait poser un grillage en certains endroits, c'est par là que tu es passée.

– Voui, j'ai poussé les pierres, il faudra les resceller.
Et c'est là que je me suis foutu la gueule par terre.

– Je suis navré, Mathilde.

– Elle est enflée, non ?

– Peut-être un peu, je ne vois pas bien d'ici.

Tous deux savent le prix et le poids de la parole en
cet instant. Henri a tout intérêt à ce qu'ils parlent, à ce
que le temps passe et lui laisse apercevoir une issue possible. Par chance, Mathilde a brisé la glace elle-même,
encore que le commandant n'aime pas trop sa drôle de
voix, contenue et tendue, son articulation exagérée et
les mots qu'elle lui lance maintenant, comme si elle
retrouvait ses esprits :

– Dis-moi, tu me prends vraiment pour une conne,
Henri ?

Objectivement, la conversation vient de démarrer
d'une manière qui n'est guère favorable à Henri. Alors
il se carre dans le fond de son fauteuil, croise les mains
sur ses genoux et se conduit exactement comme si son
regard n'était pas aimanté par le canon du .44 pointé
dans sa direction.

– C'est vrai, Henri, tu me prends pour une conne…,
répète Mathilde comme si elle se parlait à elle-même et

qu'elle adressait ce reproche autant à la fatalité qu'à son vieil ami.

Maintenant que le plus difficile est fait, qu'elle est parvenue à rejoindre Henri sans encombre, Mathilde ressent une sorte de vertige. Les choses, les mots, les images commencent à danser dans sa tête.

Il lui revient, par bribes, tout ce qu'elle a envie de dire à Henri, cher Henri, mais tout se mélange un peu, les reproches, les gentillesses, les aveux, les souvenirs, les confidences. Elle ne parvient pas à dépasser cette phrase définitive qu'elle regrette déjà parce qu'elle la met sur le compte de la colère et de l'énervement, de la fatigue :

– Franchement, ton sbire dans la grange, c'était un sacré tocard, je peux te le dire !

Henri fait une petite moue.

– Et ton fil de nylon à travers la terrasse, vraiment, Henri, tu me prends pour une brêle !

Elle le trouve changé, différent de leur dernière rencontre. C'est moi qui suis changée, se dit-elle, et une lassitude la gagne. Elle ne veut plus rien ou plutôt si, elle voudrait que tout ça ne se soit jamais passé, que tout revienne comme avant et même avant encore, quand elle n'était qu'une toute petite fille qui jouait à des jeux de petits garçons.

Henri ressemble vaguement à son père, le Dr Gachet. Passé un certain âge, tous les hommes d'une certaine classe sociale se ressemblent plus ou moins et Mathilde en oublie presque le pistolet qu'elle tient dans la main et elle dit «Henri» le cœur secoué, les lèvres tremblantes.

– Mais non, Mathilde, j'ai beaucoup d'estime pour toi, tu le sais bien...

Il dit cela de la manière la plus soignée, la plus calme. Il faut parler, certes, mais aussi ne pas dire n'importe quoi. Il n'est pas certain que Mathilde l'ait entendu. Et il a raison, parce que Mathilde est ailleurs, elle repense aux petits coins de paradis dont elle a rêvé, qu'elle habiterait avec Henri. Lui ne bouge pas, ne dit rien, se contente de la regarder comme une enfant dont on attend des excuses ou des explications. Plus elle l'observe, plus il ressemble à son père. Le genre d'homme autoritaire et sûr de lui. Au fond, il a toujours été comme ça, dominateur, imbuvable. Pauvre Henri. Par association d'idées, l'image du pompiste repasse devant ses yeux. Ils sont les mêmes, interchangeables, ce sont des voleurs. Celui qu'elle a en face d'elle, qui se tient droit comme la justice dans son fauteuil Voltaire, est un voleur lui aussi, un voleur de vie, et elle, Mathilde, elle est là, qui tente de se défendre dans ce monde imbécile, dans ce règne du superflu.

Henri attend avec une calme impatience que Mathilde dise quelque chose de nouveau qui lui donnerait une prise sur la conversation, qui pourrait déclencher ce délire de mots qu'il appelle de ses vœux parce que sa vie ne tient plus qu'à cela maintenant. Mais Mathilde le regarde sans rien dire. Bien que son visage soit dans l'ombre, il comprend que bien des choses lui passent par la tête. C'est vrai que les images se pressent dans l'esprit de cette femme lourde et menaçante, elle repense irrésistiblement à ce lieu commun qui veut que les noyés revoient toute leur vie défiler en une fraction de seconde. Elle perd pied devant le kaléidoscope de son existence et à cet instant elle jurerait que c'est Henri qui va la faire mourir, lui qui va, une fois de plus, décider pour elle.

Henri, lui, pense que le silence n'a que trop duré. Il a été un moment son allié mais s'il permet à Mathilde de s'éloigner des rivages du réel, il devient contre-productif.

– Dis-moi, Mathilde…

Elle le fixe comme un point obscur, abstrait.

– Dis-moi…

– Oui ?

– Je me suis souvent interrogé… Le Dr Perrin… comment est-il mort exactement ?

La question semble incongrue à Mathilde.

– Quelle importance ?

– Aucune ! Mais je me suis souvent demandé… Qu'est-ce que c'était comme maladie ?

– On n'a jamais bien su, Henri. Les médecins, tu le sais, sont toujours les plus mal soignés.

– Et le diagnostic ?

– On disait « la maladie ». Il ne voulait pas faire d'examens approfondis. Il était fataliste, ce pauvre

Raymond. Moi, qu'est-ce que tu veux, je faisais de mon mieux. Je lui préparais des potages, des camomilles, du lait de poule, mais ça n'a servi à rien. Il a été emporté assez vite, en réalité, quelques semaines, et paf, il était mort, le Raymond. Pourquoi tu me demandes tout ça, d'ailleurs ?

– Pour rien. Je m'interrogeais simplement… Il était encore jeune…

– Ça, Henri, ça ne veut rien dire. Ton sbire, là, qui s'était perché dans la grange, il avait quoi, cinquante ans, eh bien ça n'est pas lui qui va me contredire.

– Certes.

Henri voudrait poursuivre mais le regard de Mathilde s'est déjà enfui. La conversation l'a ramenée au Dr Perrin. Elle rembobine toute l'histoire. Son mari lui apparaît dans son corps de l'époque de leurs fiançailles, puis c'est la maison, sa fille, la guerre, Henri et son père, et, curieusement, ce jour où sa mère lui a donné une correction pour avoir volé une pièce qui traînait sur le buffet et l'explosion du train de munitions en gare de Limoges avec sa gerbe de flammes rouges et sa fumée noire, et sa position ridicule le jour où Simon lui a fait l'amour, debout dans la forêt d'Attainville, et le corps de Ludo décapité qui dégringole comme un poids mort dans sa tombe. Mathilde s'essuie le visage d'un avant-bras plein de sang, le soldat allemand est blanc comme un spectre, ses testicules dans le seau ont rejoint les cinq premiers doigts, elle se sent très calme, comment dire, pleine, c'est

drôle de penser ça. Toute à ses pensées, elle ne s'est pas
aperçue que l'arme dans sa main pèse des tonnes et
penche vers le bas, ce qui n'a pas échappé au commandant. Mathilde se ressaisit, mais ne sort pas pour autant
du fourmillement de pensées qui se pressent dans son
esprit, cette mémoire vive… Henri ne bouge toujours pas,
et la nuit pourrait passer ainsi sans qu'ils se disent rien.
Elle revoit maintenant la tombe de Raymond et se souvient de l'eau de Cologne de ce jeune sous-préfet pète-sec
qui a prononcé un discours si lamentable d'ennui et de
convention, elle retrouve la sensation inouïe de liberté et
de soulagement à l'instant où elle a tiré sur ce type, sa
première cible, un homme en pardessus qui ressemblait à
un notaire de province et qui renseignait les nazis, et le
jour où elle est allée en Suisse ouvrir un compte à la Centrale d'escompte de Genève (c'est ça, Genève !), le grand
salon avec moquette, et Henri ne dit toujours rien. Il
espère qu'elle va enfin dire un mot, n'importe lequel
pourvu qu'elle se mette à parler. Le silence est tellement
lourd et les images dans le cinéma de Mathilde se bous-
culent à une telle vitesse, celle du chat de ses parents, un
petit tigré tombé dans le puits, et c'est exactement ce qui
est en train de lui arriver, de tomber dans le puits elle
aussi, elle tombe et Henri est là, en face d'elle, qui est le
seul, le dernier, l'ultime qui peut encore faire quelque
chose pour elle, alors elle l'appelle au secours « Henri ! »,
pour un peu, elle en pleurerait tant elle a besoin de son

aide, elle tend le bras vers lui dans un geste proprement désespéré, mais il ne dit rien.

– Henri, comment peux-tu me faire ça ?

Le commandant est soulagé, voilà la première phrase.

La seconde arrive sous la forme d'une balle de .44 qui colle Henri à son fauteuil Voltaire en lui ouvrant dans la poitrine un trou grand comme un abat-jour.

La détonation est si puissante que Mathilde lâche son arme et se bouche les oreilles à deux mains. Le Voltaire est tombé à la renverse avec Henri, jeté comme un vieux paquet en désordre. Mathilde rouvre les yeux, les mains toujours à plat sur les oreilles, elle regarde ce tableau fou des pieds du fauteuil qui semblent deux yeux fixés sur elle et des semelles d'Henri penchées vers le bas comme pour méditer. Elle s'agrippe aux accoudoirs, se soulève et s'avance de deux pas. Elle regarde le trou dans la poitrine d'Henri, ça gargouille de sang noir. La tête d'Henri, là-bas, est tournée vers le mur.

Mathilde tombe à genoux et se met à pleurer en tenant bêtement la chaussure d'Henri à deux mains. Elle pleure longtemps, dans la confusion des sentiments contradictoires qui lui montent à la tête en même temps que l'odeur âcre du sang d'Henri, pauvre Henri, qui se répand, et elle décide de lui parler tout de même de ce petit coin de paradis qui était finalement la meilleure solution pour eux deux. Elle pleure, mais elle sourit en même temps en songeant à toute cette tranquillité qui les attend, tout ce bonheur de l'âge qui n'a plus d'enjeux.

Elle reste ainsi longtemps agenouillée sur le dallage froid. Puis enfin elle se lève, se sent fatiguée, quelle longue journée, la route, cette discussion interminable avec Henri. Ils reprendront demain. Elle saura bien le convaincre, elle n'en doute pas, mais pas ce soir, demain. Pour l'instant elle va dormir. Elle allume. La lumière du salon lui saute au visage. Elle écarquille les yeux. Il faut qu'Henri dorme lui aussi, qu'il passe une nuit reposante, sinon, demain la conversation sera compliquée. Elle revient vers lui, bascule ses pieds par-dessus le fauteuil Voltaire, repousse les bras, la tête, donne à l'ensemble une allure assez correcte de gisant. Demain il pourra dormir dans un sac de la morgue, dans la camionnette, il aura même de la compagnie s'il a envie de discuter un peu. Ensuite, malgré les petites formes rondes et blanches qui dansent devant ses yeux, elle parvient à retrouver le chemin de la chambre d'amis. Henri la tient toujours prête, on se demande pour qui, je suis sûre qu'il n'a personne en dehors de moi. Sitôt entrée dans la pièce, elle s'écroule sur le lit et s'endort à l'instant même, sans penser à rien.

*

Ça n'a pas raté. Vassiliev et la sœur Tan sont morts depuis trois jours, et on a déjà trois morts.

Dès la libération des deux frères, le corps d'un Maghrébin du quartier, lieutenant de la bande à Moussaoui, a été retrouvé dans le canal Saint-Martin. En représailles, dès le lendemain, deux Cambodgiens ont pris une balle dans la tête. Le juge a appelé plusieurs fois, il souhaite que ça s'arrête et vite.

La hiérarchie prend le relais, ça ne peut pas continuer ainsi.

La seule manière d'arrêter ce début de massacre, c'est de trouver le véritable coupable.

Occhipinti a passé deux heures à chercher une réplique de Talleyrand adaptée à la situation, il a fait chou blanc. Décidément, rien ne marche.

C'est là que lui vient une idée qu'il qualifie lui-même de géniale. Aucune des deux hypothèses n'ayant porté de fruit, est-ce qu'il n'y en aurait pas une troisième ?

– Laquelle ? demande le juge.

Occhipinti plisse les lèvres.

– Je n'en sais rien, c'est juste une idée…

De retour à la PJ, il engueule tout le monde, fait un raffut du diable. Ça le calme un peu.

Il se replonge dans les rapports sur les activités de Vassiliev, bordel de merde, c'est forcément là.

19 septembre

Il fait froid dans toute la maison, mais plus encore dans la petite chambre d'amis située au pignon nord. Mathilde est parcourue d'un long frisson. Elle ouvre les yeux et doit s'y prendre à deux fois pour réaliser où elle se trouve. Lorsqu'elle se souvient, elle s'étire à la manière d'une grosse vieille chatte, les poings serrés, la poitrine bombée, les reins creusés, et retombe comme une masse, la tête sur l'oreiller.

Le lit n'est pas défait, elle a la bouche pâteuse, elle se trouve dans la même position exactement que la veille, à l'instant où, ivre de fatigue, elle s'est écroulée. Par la fenêtre, dont les rideaux sont restés ouverts, Mathilde regarde les arbres, le bout de jardin tiré au cordeau. Elle s'étire une nouvelle fois et se lève douloureusement. Du café, il lui faut du café. Elle arrache le dessus-de-lit et s'en couvre les épaules. Elle passe à la cuisine et cherche les tasses, les filtres, les biscottes, le beurre, la confiture, c'est bien une maison de célibataire, rien n'est à sa place naturelle. Enfin, elle attend debout que le café passe, appuyée contre la table de la cuisine, les bras croisés. Puis elle cherche le plateau mais n'en trouve pas, elle fait alors plusieurs voyages.

Dans le salon, la première chose qu'elle aperçoit, c'est le fauteuil Voltaire renversé et, derrière, la forme indistincte du corps. Malgré le froid, Mathilde va ouvrir la porte pour faire entrer un peu d'air. Ça pue ici ! Elle fait deux voyages, renverse du café par terre parce qu'elle se prend les pieds dans le dessus-de-lit, et enfin elle s'installe à la table du salon, face à la cheminée vide. Elle a faim. J'espère qu'il y a de l'eau chaude, parce qu'une chose dont elle a horreur, c'est de prendre une douche froide.

Il y a de l'eau chaude.

La salle de bains est rustique, il n'y manque rien d'essentiel, mais on sent que pour Henri, l'agréable, dans la toilette, c'est superflu. Spartiate, voilà ce qu'il était au fond. Pas le genre d'homme à batifoler, ni même à chercher le bonheur. Mathilde se reproche de n'avoir pas emporté ce qui lui est maintenant nécessaire, elle n'a même pas tout ce qu'il faudrait pour se maquiller. Elle trouve tout de même une brosse à dents neuve, un sèche-cheveux. Il n'a pas dû passer beaucoup de femmes dans cette maison. Sous la douche, parce qu'elle voit ses gros seins ballotter, elle songe à la vie sexuelle d'Henri. Il n'était pas du genre à courir la gueuse ni même à fréquenter les bordels, à savoir même s'il y en a un dans un coin aussi paumé que cette province débile où on se gèle dès les premières heures du matin. Spartiate aussi, la vie sexuelle d'Henri. Le minimum. Tout seul peut-être même. Quelle andouille. Ce ne sont pas les parties de jambes en l'air qui lui manqueront là où il doit se trouver maintenant. Pauvre Henri, tout de même. Elle se sèche et se rhabille. Au moment de partir, après avoir repris son pistolet, elle reste debout, se demandant si elle n'oublie rien. Elle regarde Henri, cher Henri, mais refuse de s'abandonner au sentimentalisme. Ce serait indigne de nous, non ?

Elle ne sait pas si Henri a une femme de ménage, un jardinier, si un voisin va survenir comme ce crétin de Lepoitevin, et maintenant qu'elle est reposée, le mieux, c'est d'en finir et de rentrer à la maison. Elle cherche les clés de la grille (Henri est un homme ordonné, tout se trouve étiqueté près de la porte d'entrée), traverse la propriété, va chercher la camionnette qu'elle gare devant la grange. Là, elle fait rouler le corps du guetteur dans un sac plastique qu'elle hisse sur le hayon élévateur. Une fois qu'il a rejoint les deux précédents, elle avance la camionnette jusqu'à la maison.

Et se livre à la même opération avec Henri.

Mathilde se sent rapidement courbatue. Cette nuit n'a pas été de tout repos, ce lit est très inconfortable. Henri, vraiment, tu aurais pu arranger quelque chose de plus décent. Je ne t'en veux pas, remarque bien. Les hommes qui vivent seuls, ça ne pense jamais à ces choses-là. Tout de même, je suis bien déçue. J'étais certaine que mon idée de partir tous les deux quelque part était une bonne idée, mais tant pis.

Elle referme le sac sur le corps d'Henri, visse l'embout et commence à pomper. Tu n'en fais jamais qu'à ta tête, tu es un vieil égoïste, tu peux crever ! Je te le dis, Henri, tu peux crever, jamais je ne te referai une proposition pareille ! C'était à prendre ou à laisser. Tu as laissé, c'est ton droit, mais je vais te dire quand même ce que je pense de toi, tu es un sale con, voilà ce que tu es. Parfaitement ! Tu as tout ce qu'il te faut, tu n'as plus besoin de travailler, mais tu t'accroches, on se demande pourquoi, regarde-moi, est-ce que je m'accroche ? Non ! Au contraire, je raccroche et pas plus tard que tout de suite. Tu pourras m'appeler au secours pour me demander quelque chose, c'est terminé, tu m'entends, terminé. Je suis fatiguée, moi, tu ne veux pas comprendre ça, je rentre, je bazarde tout et je m'en vais ! Où ? Ne me le demande pas, je vais trouver, t'inquiète pas !

À force de tirer, de pousser, voilà le sac hissé sur le hayon. Il commence à y avoir pas mal de monde dans cette camionnette. Sans compter… que ça sent un peu. Mathilde prend une longue inspiration dehors puis vient humer l'intérieur. Ce n'est pas flagrant, mais quand même, pas de doute, ces sacs ne sont pas aussi étanches qu'ils s'en vantent.

De toute manière, elle va se débarrasser de tout ça, balancer tout ça à la flotte, la camionnette avec le chargement, et on n'en parlera plus. Et le faire assez rapidement parce que cette odeur, ça va empirer. Dans quelques heures, il n'y aura plus moyen de conduire.

Elle a hâte de prendre un train pour Paris, de regagner la civilisation. Elle ne pourra pas le faire avant demain matin mais déjà cette nuit, elle devrait avoir fait le plus dur.

Tout ça n'est pas simple. Mais avoir revu Henri, lui avoir parlé l'a ragaillardie, elle se sent jeune et tonique.

*

2633 HH 77.

Tout à l'heure, Monsieur était certain, mais maintenant…

Tout est tellement embrouillé dans sa tête, il n'est jamais sûr d'être dans la réalité ou dans un état second, son cerveau tourne tout seul, comme un électron libre, les idées, les souvenirs se pressent, défilent, se télescopent, s'arrêtent soudain, tout se fige, il peut rester longtemps ainsi, interdit, en suspension. Il le sait parce que l'autre soir, il a vu le début du journal TV (ou était-ce en journée ?), son cerveau s'est comme enrayé et quand il a repris son fonctionnement, c'était le générique de fin. Entre les deux, aucune idée de ce qui s'est passé.

Quand il est à peu près certain d'être conscient, il prend des notes. Mais comme sa main tremble pas mal, parfois, il ne parvient pas à se relire, il est obligé de jeter le papier.

Ainsi pour ce numéro. Il était certain. D'ailleurs, l'enveloppe sur laquelle il l'a noté est là, posée devant lui, mais maintenant ça ne lui dit plus rien, il a l'impression que c'est quelqu'un d'autre qui l'a écrit, peut-être Tevy ou René.

Quand il pense à eux, il se dit qu'on va venir le chercher bientôt, ils vont envoyer les services sociaux, on va l'embarquer, le mettre dans un mouroir et en fait, ça lui est égal. Ce qui le chagrine, ce n'est pas qu'on l'emmène, ça, ma foi, il va s'y faire, non, c'est ce numéro qui le tracasse. Il est remonté à sa mémoire comme une bulle d'air, il ne sait pas d'où il vient, mais c'est peut-être le bon. Dans l'ordre des choses qui ne fonctionnent plus normalement, il y a les idées fixes.

Ainsi, ce numéro.

Il n'a qu'à appeler la police, ils vont vérifier et voilà tout. Si c'est un numéro imaginaire ou aberrant, ils n'auront pas perdu tant de temps que cela, ils s'en remettront.

C'est simple à faire et pourtant Monsieur s'y refuse. C'est presque une question d'hygiène. Vérifier soi-même, n'appeler que si ça vaut la peine, c'est comme une discipline qu'il s'impose. On ne dérange pas l'administration française pour rien.

La jeune femme de la police a appelé un peu plus tôt. Monsieur suppose que c'est elle, il n'en est pas certain.

Elle voulait des nouvelles, vous n'avez besoin de rien, comment ça se passe pour vous, etc.

Monsieur a tenté de répondre puis, soudain, sans transition, il a demandé :

– On a retrouvé la personne qui a fait ça ?

La jeune femme avait une voix embarrassée. On sentait qu'elle aurait aimé donner des nouvelles rassurantes, mais « la police cherche », « nous avons des pistes assez sérieuses », bref, tout ce qu'on dit quand on est impuissant, Monsieur a été préfet, il en sait quelque chose.

La grande difficulté, c'est qu'il ne peut rien prévoir.

Dans une minute, son cerveau peut se retourner sur lui-même, il aura du mal à se souvenir de tout, le temps passera sans qu'il se rappelle ce qu'il a fait, se réveiller dans le salon. Ou dans la rue, ce sont des choses qui le guettent.

Il y a aussi René et Tevy. Qui sont morts. Sa peine à lui est toujours immense, inexprimable.

C'est comme s'il voulait faire quelque chose pour eux, ce qui est ridicule, appeler la police et donner ce numéro est sans doute le meilleur service à leur rendre, même s'ils sont morts, mais voilà, Monsieur fait avec les moyens du bord. Alors il chausse ses lunettes, feuillette le répertoire téléphonique, trouve le numéro de la sous-préfecture d'Indre-et-Loire, le compose et demande à parler à M. le préfet.

– C'est pour quoi ?

Voix revêche, tonalité de préfecture.

– C'est M. de la Hosseray à l'appareil (il entend qu'il a la voix qui tremble), j'ai été…

– Monsieur de la Hosseray ! C'est Janine Marival ! Ça alors !

Il ne se souvient pas de ce nom, mais il dit :

– Comment allez-vous, ça me fait plaisir de vous entendre…

Il laisse la dame dire des banalités, elle a travaillé sous ses ordres, elle a été rétrogradée au standard, elle chuchote des vilenies sur sa hiérarchie, mais le standard doit saturer, il faut interrompre la conversation.

– Si ça me fait plaisir, alors ça !

Et sans transition, elle lui passe le poste personnel de M. le préfet.

– Monsieur de la Hosseray, quel bon vent vous amène ?

Monsieur doit recommencer à faire semblant, dire des choses très générales qui n'engagent à rien, le nom de ce préfet ne lui dit rien non plus, c'est terrible.

– Ça va vous sembler très bête, mais voilà, c'est pour une sordide affaire d'assurance automobile.

L'espace de deux minutes, Monsieur retrouve un ton officiel, les bons mots, les expressions, quelqu'un a embouti sa voiture, il a le numéro, mais pas l'identité du conducteur, alors si Monsieur le préfet voulait bien, puisqu'il a accès au fichier central…

Quand était-ce ?

Hier, avant-hier.

En tout cas, Monsieur l'a oublié.

Et voilà le téléphone qui sonne et quelqu'un qui l'appelle de la part de M. le préfet « pour vous communiquer les coordonnées d'une personne… ».

Ça lui dit quelque chose, en effet.

– Vous avez de quoi noter ?

– Attendez !

Monsieur renverse tout pour trouver un morceau de papier, un crayon.

– Allez-y !

C'est à peine déchiffrable, alors il s'installe à la table de la cuisine et recopie en grandes lettres :

Renault 25 : 2633 HH 77.

Mathilde Perrin, 226, route de Melun, Trévières, Seine-et-Marne.

C'est elle qui est venue ici l'autre jour.

C'est elle qui a tué Tevy et René.

Il faut que j'appelle la police pour le leur dire.

À peine un quart d'heure plus tard, Monsieur tombe sur le papier, mais il ne sait plus de quoi il s'agit.

Il le jette à la poubelle.

*

À cause de l'odeur, Mathilde a été obligée de garer la fourgonnette dans la campagne, ce qu'elle a pu lui sembler longue cette journée. Il fallait attendre le soir, pas moyen de faire autrement mais quel ennui, elle a testé les cafés de village, elle est restée à table un temps déraisonnable, l'après-midi s'est étirée comme un élastique.

Enfin, elle y est.

L'endroit propice se trouve à une vingtaine de kilomètres de la ville, en bordure du fleuve comme il se doit, à la sortie de Chayssac, une ville moyenne sans charme ni beauté, où la rue principale est lignée de traces blanches de ciment. Il y a là trois chantiers de tailles différentes. Celui qui a intéressé Mathilde, c'est le second, parce que s'y trouve tout ce dont elle a besoin. Il est un peu plus de vingt et une heures lorsqu'elle se gare devant la porte en fer à claire-voie, descend. Le berger allemand se rue vers elle en hurlant, les babines relevées, les crocs aiguisés, et, debout sur ses pattes arrière, tente de la mordre à travers le grillage.

Mathilde s'approche, lui sourit, ce qui décuple la fureur du chien, qui toutefois ne dure pas longtemps. Mathilde s'éloigne et lance par-dessus la grille la boulette de viande hachée sortie de son papier aluminium.

Elle s'inquiétait à ce sujet. La mort-aux-rats a une odeur que les chiens n'aiment pas. Elle a eu l'idée de fouiller la camionnette de son confrère belge, ce type était vraiment quelqu'un de bien. Outre l'habituelle panoplie de chloroforme, de médicaments d'urgence, de bandages, d'antidouleurs, d'antibiotiques, elle a trouvé quatre capsules, strychnine et curare.

Ce n'est pas une société de gardiennage qui assure la sécurité ici, ça n'en vaut pas la peine. C'est le chien du propriétaire, qu'on affame un peu pour qu'il devienne agressif. C'est un brave con de chien. Il se précipite sur la viande rouge, qu'il boulotte en parfait goinfre puis apprécie en parfait mort parce qu'il est saisi d'un soubresaut qui le soulève de terre et il s'écroule, les babines encore écumantes.

Mathilde a trouvé dans la camionnette une pince coupante à manches longs qui fait un levier puissant. La chaîne cadenassée rompt rapidement, mais, contrairement à ce qu'elle avait espéré, la grille est tout de même fermée par une serrure. Elle doit donc revenir au véhicule, effectuer une longue marche arrière, après quoi, à pleine vitesse, elle accélère à fond et enfonce la grille qui cède en claquant de chaque côté. Au passage, elle roule sur le corps du chien, rien de grave, la voici à pied d'œuvre.

Quatre véhicules sont garés là, que Mathilde, qui n'y connaît rien, serait incapable de manipuler. Mais il y a aussi un camion-benne. Ça doit se conduire comme une voiture. Elle tente d'en ouvrir la porte. Fermée. Elle se tourne alors vers le bureau du chef, un conteneur garni de petites fenêtres. Mathilde s'éloigne, calcule l'angle de la balle avant de tirer dans la porte qui s'ouvre aussitôt. Elle prend le temps de jauger la tâche à accomplir. Quatre tables, des corbeilles remplies et, sous des tonnes de papiers, commandes, bons de livraison tachés de graisse, de stylos publicitaires, de calendriers de pin-up, se trouvent deux ordinateurs Bull, deux machines à écrire perfectionnées, des Olivetti. Et au mur, un tableau avec les clés de tous les véhicules numérotés. Elle vérifie par la fenêtre. Son camion porte le numéro 16. Elle en saisit la clé, retourne sur le parking. Le volant est poisseux, c'est un beau dégueulasse qui conduit cette saloperie, se dit Mathilde. Le moteur démarre. Elle le coupe aussitôt. Tout se passe bien, il ne faut pas traîner, c'est tout. Tu n'aurais jamais cru que tu me verrais un jour conduire un camion, hein, Henri ? Et pourtant, tu vas voir, ça va pas faire un pli !

La camionnette est maintenant garée devant le bureau et Mathilde attrape les machines à écrire, les claviers d'ordinateur, les unités centrales, les imprimantes et balance le tout sans ménagement à l'intérieur de la fourgonnette. Oui, désolée, les gars, mais je n'ai pas le temps de ranger, dit-elle aux quatre corps empaquetés. Elle trouve aussi, dans le bureau, deux petites boîtes en fer fermées par un cadenas, ce doit être quelque chose comme la caisse journalière, ou l'argent de la coopérative pour la cantine, elle les balance toutes les deux dans la camionnette avant de claquer le hayon arrière. Elle sort son sac de voyage et le range près de la porte du bureau.

Ensuite, il lui faut s'y reprendre à deux fois pour positionner la fourgonnette sur le ponton où des barges à fond plat doivent venir charger et décharger du sable, du ciment. Face au fleuve qui roule dans la nuit noire. Il a dû pleuvoir pas mal ici, la Garonne semble gonflée comme une outre et furieuse, agitée. Elle place la four-gonnette à une quinzaine de mètres de l'extrémité. Toutes vitres ouvertes. Frein libéré. Elle a jeté un caillou dans l'eau pour tenter de vérifier la profondeur, mais ça ne lui a rien appris.

C'est un coup de poker, ça passe ou ça casse.

Là, Henri, je vais avoir besoin de ton aide, il faut des pensées positives parce que si ça ne marche pas, il n'y a pas de plan B.

Elle s'installe au volant du camion, démarre et vient se coller à l'arrière de la fourgonnette qu'elle se met à pousser. Le moteur rugit. Elle a le ventre en compote lorsque les deux véhicules accolés prennent de la vitesse. Quand le fourgon arrive à l'extrémité du ponton, Mathilde freine brutalement. Devant elle, la fourgonnette pique du nez et bascule dans le fleuve. Et là, elle s'immobilise.

Mathilde, affolée, descend du camion, s'approche de l'extrémité du ponton, prudente, comme si une bête risquait de surgir. La fourgonnette est plantée dans l'eau, presque à la verticale. Elle doit être arrêtée par un banc de sable. C'est le pire de ce qui pouvait arriver. Le cul du véhicule sort de près d'un mètre cinquante. Mathilde cherche autour d'elle quelque chose avec quoi elle pourrait pousser, mais elle sait que même si elle le trouvait, elle n'aurait jamais la force suffisante pour faire basculer une telle masse dans le fleuve.

La vision du fourgon planté dans l'eau lui donne envie de pleurer.

Elle marche nerveusement le long du ponton, regarde sa montre. Il lui reste très peu de temps, quarante-cinq minutes. Le fourgon émet des sortes de gargouillements sourds, c'est l'eau qui doit continuer d'entrer dans l'habitacle. Et tout à coup, le véhicule pousse un long soupir, exhale une énorme bulle d'air et s'enfonce dans l'eau, s'enfonce, Mathilde n'en revient pas. Pendant quelques secondes il s'immobilise, quarante centimètres de carrosserie dépassent encore, allez, allez, l'exhorte Mathilde, les dieux l'ont entendue sans doute. Comme s'il venait de recevoir un brusque coup de pied, le véhicule s'enfonce et disparaît.

Oh, merci, Henri ! Merci ! À nous deux, on fait vraiment une bonne équipe ! Le temps de remettre le camion exactement à sa place, d'en verrouiller la porte, d'aller raccrocher les clés au tableau, de prendre sa valise, Mathilde se dirige vers la sortie, croise le cadavre du chien qui gît dans une mare de sang. Salut Ludo ! Bonne sieste !

Il lui faut près d'une demi-heure pour gagner Chayssac, le centre-ville où le taxi qu'elle a commandé attend déjà.

– Eh bien, d'où vous revenez comme ça, ma petite dame ?

Il est sidéré, le chauffeur, de venir prendre une cliente à pareille heure devant la mairie de la ville endormie.

Mathilde s'effondre lourdement sur le siège arrière, confirme l'adresse de l'hôtel. Tout est en place.

Demain matin, ou dans la nuit, on va découvrir que le chantier a été cambriolé, on a tué le chien, on a volé tout ce qui avait un peu de valeur, les gendarmes vont prendre des airs importants, dresser des procès-verbaux qui iront rejoindre les vols de voitures, d'autoradios et les plaintes de femmes battues dont on ne fait jamais rien, hormis des statistiques.

– Je suis venue m'occuper des affaires d'un ami qui est mort récemment. J'ai fait un peu de nettoyage, mais ça y est, c'est fini, je suis bien soulagée.

– Bah oui, dit le chauffeur en démarrant, je comprends ça ! Quand on a bien travaillé, on va dormir tranquille.

– À qui le dites-vous !

20 septembre

Je ne comprends pas... Pourquoi le train met-il aussi longtemps pour rallier Paris !

C'est la question que Mathilde poserait volontiers au contrôleur, mais elle sait qu'elle doit se montrer discrète, ne pas se faire remarquer. La conversation de la veille au soir avec le chauffeur de taxi doit rester une exception. Elle avait pris la précaution de descendre à l'hôtel sous le nom de Jacqueline Forestier, mais il ne faut pas tenter le diable.

C'est le nom qui figure sur le passeport qu'elle a conservé, c'est le passeport lui-même qui aimante sa pensée. Elle le cherche dans son sac. La photo est ancienne, mais le document est encore valide. A-t-il été neutralisé ? Si elle s'en servait, l'arrêterait-on dès le passage de la douane ?

Jusqu'alors Mathilde a eu de la chance, elle ne voit pas pourquoi les choses se mettraient à tourner dans le sens inverse.

Parce que ce qui fait son chemin en elle, c'est la

perspective de partir. Certes, Henri n'a pas mordu à l'hameçon, mais qui sait, si elle lui écrit d'un endroit où il fait bon vivre, peut-être reviendra-t-il sur sa décision...

Mathilde se laisse bercer par cette idée, somme toute nouvelle. Elle ne sait pas où elle va aller, mais elle va mettre en vente La Coustelle, récupérer son magot en Suisse et basta, la grande vie ou plutôt la vie tranquille, c'est pareil.

Elle va s'installer dans un coin pépère et chercher quelque chose à acheter pour être chez elle. Les Marquises. Ça la fait rire, elle ne sait même pas où c'est, les Marquises. Non, l'Italie ? L'Espagne ?

Mathilde tape du plat de la main sur l'accoudoir : le Portugal !

Elle y est allée une fois, pour une mission. La cible est restée plus longtemps que prévu en voyage, alors elle a dû attendre à Lisbonne, après quoi elle l'a baladée jusque dans l'Algarve, elle a finalement réussi à la coincer dans un bled, Lagos, Lagoa, quelque chose comme ça, et elle a adoré ce pays.

C'est ça qu'il lui faut. On s'est pas battus pour rien comme des beaux diables pendant toute cette guerre et même après, on a bien droit au soleil et à la tranquillité, merde alors !

Voilà, c'est dit, elle ferme La Coustelle, elle laisse la clé chez Lepoitevin, elle contactera les agences immobilières de là-bas.

Sans compter qu'avec ses moyens, elle va s'offrir quelque chose de très bien. Elle se demande même si elle ne fera pas venir sa fille, cette gourde, on verra. Mathilde est soudain heureuse. Elle tient son projet. Elle achètera un chien.

Mathilde est si enthousiaste que le voyage de retour devient un rêve.

Faire vite. Non qu'elle craigne quoi que ce soit, elle reste indétectable, mais pour elle-même, cette envie d'en finir, d'aller enfin se reposer.

Mathilde s'endort et ronfle paisiblement.

Sa voisine, une jeune femme très proprette, sourit.

Mathilde ressemble tellement à sa grand-mère...

*

Lorsque, en fin de journée, le taxi dépose Mathilde devant chez elle, rien de l'excitation qui l'a occupée pendant son voyage ne s'est éteint.

Elle ressent même une euphorie supplémentaire, tandis qu'elle emprunte l'allée rectiligne qui conduit à la terrasse, à l'idée de quitter cette maison. Qui n'a jamais été la sienne.

– Mais qu'est-ce que tu as grandi, toi !

Elle attrape Cookie et le prend contre elle.

– Alors, mon chéri, le méchant voisin ne t'a pas fait de mal ?

Non. Ni cette maison ni cette vie n'ont jamais été

vraiment à elle. Même sa fille. Il n'y a jamais eu que les chiens, finalement. Elle va quitter tout ça avec tellement de soulagement…

Elle repose le chiot et fixe la haie, très partagée sur le sort de Lepoitevin. Elle imagine mal de partir sans aller s'expliquer avec lui, qu'un type capable de faire une chose pareille à un pauvre chien comme Ludo qui n'avait rien demandé reste impuni choque son sens de la justice. Et en même temps, elle croit se souvenir qu'il ne faut pas le faire, mais elle ne se rappelle plus exactement pour quelle raison.

Ça lui reviendra demain.

Elle pose son sac de voyage, monte à l'étage prendre une douche, regarde, à l'entrée de la chambre, la tache sur la moquette devenue noire.

Je m'en fous, on va la bazarder cette baraque, que celui qui la veut la prenne.

Il fera le ménage.

21 septembre

Impossible de retrouver ce satané papier ! Monsieur est certain de l'avoir posé là, sur le buffet, et pourtant il n'y est plus.

Sans Tevy, la vie est devenue très difficile. Il serait plus facile de céder, se dit-il.

Lorsqu'il est tombé en panne de nourriture, il est resté sans manger une journée, puis la faim est arrivée. C'était une drôle de sensation, il avait besoin de manger sans en avoir envie. Peut-être que je veux mourir, se disait Monsieur, mais il savait que non. Le lendemain, c'était le jour de la femme de ménage. C'est elle qui a proposé de venir deux fois dans la semaine au lieu d'une. C'est une femme assez âgée, gentille et douce, il ignore si elle habite le quartier. Quand elle insiste pour qu'il aille dans une institution, il fait semblant de ne pas comprendre. Et donc, Monsieur avait faim, il lui a demandé d'aller faire quelques courses. Il a donné sa carte bancaire, dont le code est écrit en gros chiffres sur le réfrigérateur.

Elle est revenue avec de quoi manger jusqu'à sa prochaine visite. Elle lui a donné le ticket de caisse du magasin, elle a remis la carte bancaire à sa place et elle est retournée à son aspirateur. Elle a choisi des choses simples à manger, sans préparation, sans doute pas très diététiques, mais elle veut éviter qu'il fasse chauffer de l'eau ou même allume le gaz, avec lui, tout peut devenir un danger.

– Vous seriez mieux dans une maison, Monsieur, je vous assure…

Il fait mine de ne pas l'avoir entendue, elle tient à lui montrer qu'elle n'est pas dupe.

Parfois, Monsieur s'aperçoit que le jour est arrivé ou, au contraire, que la nuit est tombée et il est incapable de savoir ce qu'il a fait au cours des dernières heures. L'appartement se transforme, les choses se déplacent, la femme de ménage dont il ne retient pas le nom ne fait pas de commentaires, elle remet les choses là où elles étaient. Elle lui a dit quelque chose au sujet des obsèques de René et de celles de Tevy, il ne comprend pas pourquoi il y a deux enterrements alors qu'ils sont morts ensemble, ils devraient être ensemble au cimetière. Elle lui a dit la date, mais personne n'est venu le chercher, ou peut-être que quelqu'un est venu. S'il était allé au cimetière, il s'en souviendrait, non ?

Monsieur va devoir partir, quitter l'appartement, il sent bien que le filet se resserre autour de lui, des gens vont décider, ce serait plus simple d'accepter dès maintenant, mais pour lui, c'est non. Parfois, il se souvient de la raison pour laquelle il est entré en résistance, mais c'est une idée qui n'a pas de permanence, elle repart comme elle est venue.

À cet instant, il se rappelle : il ne partira pas tranquille tant qu'il n'aura pas remis la main sur ce papier. C'est ça, la raison. Ce papier permettra à la police de retrouver la femme qui est venue ici tuer René et Tevy. Il l'a vue par la fenêtre, il a retenu son numéro, il a appelé à la préfecture, on lui a donné son nom, son adresse, et il a tout perdu.

Le nom et l'adresse.

Il a passé tout l'après-midi à chercher ce papier. Il a demandé à la femme de ménage. Elle a répondu :

— Vous me l'avez déjà demandé deux fois, Monsieur, non, je regrette, je ne l'ai pas vu…

Alors il prend la décision d'appeler tout de même.

Et c'est très difficile. La jeune policière n'est pas là, on lui passe quelqu'un d'autre.

— M. de la Hosseray, ici. Je vous appelle pour l'affaire de Neuilly.

— C'est au sujet de l'inspecteur Vassiliev, c'est ça ?

Monsieur, en entendant ce nom, se met à pleurer. Silencieusement.

— Allô ! Vous êtes toujours là ?

— Ou… oui…

— C'est pour quoi ?

Elle semble agacée, impatiente.

– C'est pour vous dire que la femme qui les a tués est venue en voiture. J'avais le papier, mais je l'ai perdu.

Il y a un grand silence.

– Quel est votre numéro de téléphone, monsieur ?

Il le savait, ce numéro, à l'instant ça lui échappe.

– Attendez, je vais le chercher…

Il pose le combiné.

Il cherche dans le répertoire, mais à la lettre H il ne trouve pas son nom. Ah, le voici, il était sur la première page.

– Allô ?

Il entend la femme qui parle à quelqu'un d'autre, très bas, qui parle de lui…

– Oui, monsieur…

– J'ai le numéro, le mien, mais je ne retrouve pas celui de la dame, je veux dire le numéro de la voiture, pas le téléphone.

Il se rend bien compte que c'est un peu confus, mais c'est ce qu'il peut faire de mieux.

– Écoutez, monsieur, je vais demander à ma collègue de vous rappeler, confirmez-moi votre nom, s'il vous plaît…

Ensuite, il s'assied près du téléphone et commence à attendre. Il ne veut pas s'éloigner du téléphone. Risquer de manquer l'appel. Quand il a fallu aller aux toilettes, il a tiré le combiné le plus loin possible et il a fait très vite. De temps en temps, il décroche pour vérifier qu'il y a une tonalité, que le poste marche convenablement.

316

Et enfin, elle appelle. La nuit est tombée.

– Comment allez-vous ?

Il aurait dû prendre le temps de répondre, d'avoir une vraie conversation, mais pendant toute cette attente, il s'était répété ce qu'il devait dire, alors il a lâché la bonde, les mots sont sortis :

– C'est pour la femme qui est venue en voiture et qui les a tués. J'ai perdu le papier, mais je l'ai vue par la fenêtre, c'est une femme vieille, assez grosse, dans une voiture de couleur claire, mais j'ai perdu le papier, vous comprenez, je l'ai cherché partout et je ne sais pas où il est passé, je pense que c'est la dame du ménage.

– Celle qui est vieille ?

– Oui, elle est vieille.

– Et elle est venue chez vous…

– Elle vient souvent, pas tous les jours, mais souvent.

– Et elle est venue pour tuer l'inspecteur Vassiliev ?

– Oh non…

Monsieur est saisi d'un doute.

– Non, je ne pense pas que ce soit elle, celle-ci, je l'aurais reconnue. Elle était plus grosse, je crois…

– Je vois. Dites-moi, il y a quelqu'un avec vous, monsieur de la Hosseray ?

Il est tendu au téléphone, il a envie de raccrocher, c'est raté, il le sent bien, mais s'il raccroche, on va venir le chercher. On lui mettra une camisole, comme pour les fous.

– Oui…

– Qui est avec vous, monsieur ?

– Un cousin...

– Ah... Et je peux lui parler au téléphone ?

– Euh... Il est allé chercher à manger, il va revenir, il peut vous rappeler...

– Oui, ce serait bien qu'il nous rappelle, c'est possible ?

– Oui, d'accord...

Monsieur est accablé par sa propre maladresse. Il sait parfaitement ce qu'il a à dire, mais ça ne vient pas dans le bon ordre, les idées fusent dans tous les sens. Quel échec...

Il se lève péniblement. La station assise sur cette chaise raide lui a cassé le dos.

Il s'effondre dans le fauteuil et il le voit, plié dans la corbeille à papier. Il se penche, il le lit :

Renault 25 : 2633 HH 77.

Mathilde Perrin, 226, route de Melun, Trévières, Seine-et-Marne.

Il doit rappeler la jeune femme... Mais il ne bouge pas.

On ne le croira pas, on le prend pour un fou. Demain matin, les services sociaux vont venir le chercher.

Appeler la police ne servira plus à rien, personne ne le comprend, personne ne le croit.

Monsieur chiffonne le papier dans sa main et essuie les larmes qui coulent en abondance, silencieuses et lourdes.

Il n'a jamais été aussi intensément malheureux qu'à cette minute.

*

Le lendemain, dès l'aube, voici Mathilde à pied d'œuvre qui prend son café sur la terrasse. Ce qui l'a éveillée, c'est une idée soudaine : ce qui serait bien, ce serait de partir… aujourd'hui.

C'est un projet assez fou pour l'exciter au-delà du possible. Elle en rit toute seule. Elle a attrapé un papier, un stylo, elle note ce qu'il convient de faire pour quitter Melun le soir même, et rien ne lui semble insurmontable. Elle fait sa toilette, prend le Luger, son passeport, de l'argent liquide, et à l'ouverture de l'agence de voyages, Mathilde est la première à entrer.

La femme qui la reçoit lui rappelle vaguement une autre employée, la Philippon, de l'agence d'intérim. Qui lui avait promis d'envoyer une fille pour le ménage et qui, bien sûr, ne l'a jamais fait. Aussi, à cause de la ressemblance, se méfie-t-elle de cette femme qui sourit largement en disant :

– Le Portugal ! Mais quelle bonne idée !

– Pourquoi ?

– Pardon ?

– Vous dites que c'est une bonne idée, en quoi elle est meilleure que de partir à Genève, à Milan ou à Vladivostok ?

L'employée est un peu désarçonnée, mais elle a de l'expérience, des clients mal lunés elle en a pratiqué quelques-uns, elle ne se laisse pas démonter.

– Alors, dit-elle en sortant ses catalogues, voyons le Portugal… De quel côté du pays, vous avez une idée ?

– En bas, répond Mathilde, qui ne se souvient pas exactement du nom de la région. Tout en bas.

Et ça la vexe d'être renvoyée à un petit oubli de rien, elle a l'impression que l'employée sourit avec condescendance, c'est très agaçant. Elle plonge la main dans son sac.

– L'Algarve ?

Elle tient son Luger lorsque le nom la frappe comme une évidence.

– C'est ça ! Et j'aimerais partir aujourd'hui.

– Ah, aujourd'hui même ?

– Ça pose un problème ?

– Eh bien, disons que c'est assez soudain…

– Ça pose quel problème ?

– La disponibilité, madame. Trouver un vol… Je suppose que vous souhaitez aussi un hôtel ?

– Vous supposez bien.

Cette cliente qui lui répond sèchement en gardant la main dans son sac comme si elle allait en sortir une bombe de gaz lacrymogène achève de la mettre mal à l'aise. Elle fouille dans son catalogue.

– Je crois que j'ai une bonne nouvelle, madame…

– Ça serait bien.

– Si vous permettez.

Elle décroche son téléphone, appelle un correspondant et, tout en vérifiant les informations, garde l'œil sur sa cliente, et surtout sur cette main qui reste obstinément invisible.

Et le miracle s'accomplit. Un vol, ce soir à vingt et une heures, au départ d'Orly. Une voiture pour venir la prendre et :

– Regardez-moi ça, vante-t-elle en exhibant des photos d'un hôtel luxueux, ces piscines, ces orangers, ces terrasses… Et son prix basse saison !

Mathilde sort son passeport.

– Je voyage avec un chien. Et je paie en espèces.

– C'est que… ça fait une somme.

– J'ai ce qu'il faut, dit Mathilde en fouillant dans son sac.

Elle en sort une liasse de grosses coupures. L'employée est soulagée. C'était donc ça, la main dans le sac ! Elle est de nouveau fringante et chaleureuse.

– Je veux aussi louer une voiture, dit Mathilde.

– Mais comment donc !

Mathilde passe le reste de la matinée à faire des achats, un panier fermé pour Cookie, des lunettes de soleil, des chaussures estivales, un chapeau, parce qu'elle se souvient que ça tape pas mal dans ce coin-là.

Elle a acheté un séjour de deux semaines. Elle va rayonner autour de l'hôtel pour chercher une maison à louer ou à acheter, et quand ce sera fait, elle enverra des photos à Henri, s'il vient la voir seulement quelques jours, elle se fait fort de le convaincre de rester un peu plus longtemps, et de fil en aiguille…

De retour à la maison, elle rassemble des vêtements qu'elle entasse dans sa grande valise, les papiers nécessaires pour transférer de l'argent depuis son compte à Genève. Ou à Lausanne, enfin, peu importe. Elle commande un taxi pour dix-neuf heures, elle sera à Orly à vingt heures, le vol est à vingt et une heures, tout se déroule parfaitement bien.

Mathilde rit toute seule. Elle repense aux quatre corps allongés dans la fourgonnette qui gît dans la Garonne. Quatre ? Il y a qui, déjà ? Le type que lui a envoyé Henri, non ! Les deux types que lui a envoyés Henri ! Il y a Henri lui-même, mais elle ne voit plus qui est le quatrième, ça va lui revenir.

Toujours est-il que la police n'est pas près de remonter jusqu'à elle, en tout cas pas avant un bon moment, et s'ils y parviennent un jour, il y a longtemps qu'elle sera sur la terrasse de l'hôtel, les doigts de pied en éventail, et peut-être même chez elle, si elle trouve une maison à son goût.

Il y a trois décennies que Mathilde passe entre les gouttes, il y a une certaine logique à ce qu'en prenant une retraite bien méritée, elle disparaisse des radars comme elle l'a toujours fait.

*

– Toujours rien ? demande Occhipinti.

On attend le mandat du juge.

La jeune femme fait un signe de tête négatif. D'autres taperaient du poing sur la table, lui s'envoie une poignée de pistaches.

Sur son bureau, la fiche signalétique de Mathilde Perrin, soixante-trois ans, mère de famille, veuve d'un médecin, médaillée, héroïne de la Résistance... Pas du tout le profil qu'il espérait mais c'est tout ce qu'il a !

L'appel du vieux, l'ancien préfet, était aussi étrange qu'inattendu.

– Décousu ? a demandé Occhipinti, surpris.

Oui, décousu, pour le moins. Impossible de savoir de qui il parlait réellement. Il semblait confondre sa femme de ménage avec la personne qu'il croyait avoir vue.

– Une grosse femme qui serait venue tuer l'inspecteur Vassiliev ? Il n'est pas un peu gâteux, votre vieillard ?

Elle a trouvé cette réflexion irrespectueuse mais sur le fond le commissaire a raison. Sauf qu'on n'a rien à se mettre sous la dent pendant que les équipes épluchent encore et encore les enquêtes de Vassiliev et que les frères Tan et la bande à Moussaoui s'entre-tuent.

La jeune femme est allée rendre visite à M. de la Hosseray mais il n'était plus lui-même. Il ne se souvenait plus de son appel à la police, même le nom de René Vassiliev ne lui semblait pas très familier, il faisait semblant de se souvenir mais on voyait bien qu'il n'en était rien.

Cette fois, la jeune policière ne lui a pas demandé son avis. Dès qu'elle a été sortie, elle a appelé les services sociaux, ils devraient venir le chercher dans la soirée. Demain matin au plus tard.

Ce qui a chagriné cette jeune femme, c'est que Monsieur a rappelé à un moment où il semblait avoir encore sa tête. Du moins partiellement. Il paraissait sûr de lui.

– C'est le propre de la démence sénile, a commenté le commissaire. Ils sont certains de ce qu'ils disent, leur conviction nous ferait douter. Je le sais, j'ai eu une belle-mère atteinte de sénilité. Tous les soirs, elle croyait voir sa sœur qui était morte trente ans plus tôt et elle me confondait avec le pharmacien avec qui elle avait trompé son mari pendant vingt ans.

Le trouble est venu de ce que la description donnée par le vieillard pouvait ressembler à celle de la femme que le commissaire a interrogée chez elle, celle qui habite près de Melun.

– Des femmes vieilles et grosses, a dit la jeune policière, il y en a plein les rues…

– Attendez, attendez…

Une grosse bonne femme dans une voiture de couleur claire, dans cette affaire il n'y en a qu'une de connue. Certes, elle n'a pas le profil d'une tueuse mais c'est tout de même troublant.

– Ma belle-doche, il lui arrivait de dire des choses très

sensées mais comme la plupart du temps elle déconnait à plein tube, on ne la croyait pas.

Alors le commissaire a appelé le juge d'instruction et a demandé une commission rogatoire.

– Un mandat de perquisition serait aussi le bienvenu, a-t-il ajouté.

Quitte à se rendre sur place, autant avoir les moyens de travailler.

Le juge n'était pas joignable, on lui a laissé le message.

Puis enfin, vers dix-huit heures trente, le juge a rappelé, d'accord, un mandat, je vous le fais porter.

Et voilà, il est dix-huit heures quarante-cinq, un motard vient d'apporter le document. On va se rendre à Melun. Occhipinti prend deux agents.

– On sera sur place avant vingt heures, c'est parfait.

Juste avant de partir, la jeune policière a appelé M. de la Hosseray, espérant que la mémoire lui serait revenue, qu'il pourrait dire quelque chose de plus sur cette étrange visite de la « vieille dame », mais personne n'a décroché.

Elle a appelé les services sociaux.

– Oui, lui a-t-on dit, on est allé le chercher.

*

Le commissaire n'aura jamais le plaisir d'arrêter Mathilde Perrin.

C'est trop tard.

Lorsque, au cours de la perquisition, il découvrira son arsenal, sa chance sera passée…

Parce qu'à l'instant où l'équipe du commissaire quitte la PJ, un taxi arrive devant La Coustelle. Le chauffeur hurle de loin :

– Mme Perrin, c'est ici ?

Mathilde est en manteau, sa grosse valise à côté d'elle ainsi que le panier en osier fermé dans lequel le chiot a commencé à geindre puis s'est arrêté, inquiet. Elle regarde le chauffeur qui agite les bras comme un séma-phore.

D'après toi, Ducon, tu me vois avec une valise grosse comme une armoire normande et tu demandes si c'est ici… Elle se baisse vers le panier. Mon petit Cookie, j'ai bien peur qu'on soit tombés sur le taxi le plus con du département… Elle se relève et fait un signe fatigué de la main, allez, entre, espèce de buse…

Le chauffeur est content, il sourit largement et ouvre la grille en grand, remonte en voiture et s'avance lente-ment dans l'allée. Devant le perron, il fait un large demi-tour puis s'arrête et descend.

– Je me demandais si c'était bien ici !

C'est un sanguin, volubile.

– Et d'après vous ?

Il regarde la cliente avec sa valise aux pieds et son panier à chien.

– Ha ha ha ! Oui, j'ai l'impression que c'est ici ! Ha ha ha !

Il arrive au pied du perron.

– Je suis en avance d'un quart d'heure !

C'est une fierté. Il monte les marches, saisit la valise et en allant vers sa voiture :

– À quelle heure qu'il est, votre avion ?

– Vingt et une heures.

– Oh là là, vous y serez largement ! À cette heure-ci, jusqu'à Orly, c'est du billard !

C'est cette remarque qui décide Mathilde. Toute la fin de journée, elle a remué l'idée qu'elle n'était pas allée discuter avec Lepoitevin. Chaque fois qu'elle y a songé, elle avait autre chose à faire. Ensuite elle n'y pensait plus. Au fond, puisqu'ils ont un quart d'heure d'avance, elle a largement le temps de régler le problème.

– Attendez-moi, dit-elle au moment où le chauffeur se saisit du panier du chien pour l'installer sur la banquette arrière.

– C'est quoi comme chien ?

– Un dalmatien ! hurle-t-elle depuis la cuisine d'où elle extrait son Smith & Wesson.

Le chauffeur se penche et regarde Cookie à travers la petite fenêtre de côté.

– Je ne voyais pas ça comme ça…

Il ferme la porte arrière lorsque Mathilde, son sac en bandoulière, apparaît sur la terrasse, donne un tour de clé à la baie vitrée et, en descendant les marches, dit :

– Je vais porter les clés au voisin, je reviens.

– Vous ne voulez pas que je vous avance ?

– Pas la peine.

Mathilde, d'un coup, est très remontée. Ce voisin lui sort par les yeux depuis tellement de temps, elle est bien soulagée d'aller lui faire sa fête. Elle va lui dire « Je viens de la part de Ludo, vous vous souvenez de lui ? », et lui coller une balle entre les deux yeux. Elle a équipé son pistolet d'un silencieux, le chauffeur n'entendra rien. Elle jettera l'arme dans la haie. De toute manière, elle s'en fout. Elle est introuvable.

Quand on se décidera enfin à chercher Mathilde Perrin, il faudra un miracle pour trouver Jacqueline Forestier.

D'ici là, j'ai dix fois le temps de mourir..., se dit-elle avec satisfaction tout en marchant d'un bon pas vers la grille.

Le chauffeur lui crie :

– Faut pas trop traîner quand même, hein !

Elle se trouve à mi-chemin lorsque l'Ami 6, passablement cabossée, débouche soudain.

Le moteur hurle, la voiture roule en seconde, elle accroche la grille avec l'aile arrière mais, après une brusque embardée, se stabilise au milieu de l'allée. Et accélère. Passe même la troisième.

Monsieur a mis près de deux heures pour venir jusqu'ici. Il n'a pas trouvé toutes les vitesses, notamment la quatrième. Il a perdu l'aile avant droite à la sortie de

Paris, lorsqu'il a brutalement viré pour éviter l'auto-route. Il voulait passer par la route, c'est ce qu'il se répétait sans cesse : prendre la route. Aller là-bas. Puisque la police ne me croit pas.

Trouver Trévières n'a pas été facile. Il ne voulait demander à personne. En fait, persuadé qu'on l'empê-cherait de poursuivre sa route, il n'a jamais voulu s'arrê-ter. Même aux feux rouges. Même aux stops, il est passé. Il en a entendu des coups de klaxon et des insultes ! Tendu sur le volant, à quarante centimètres du pare-brise, Monsieur n'avait qu'une idée en tête : parvenir route de Melun.

Quand il a vu le numéro 226, il a brusquement braqué, et le voici dans l'allée droite couverte de gra-vier.

Et il a en face de lui cette femme, tétanisée par l'appa-rition de cette voiture hurlante.

Il la reconnaît parfaitement. C'est elle, exactement, qu'il a vue remonter en voiture, elle qui est venue tuer René et Tevy.

Mathilde aurait peut-être eu le temps de faire les trois pas lui permettant d'éviter l'Ami 6 qui fonce sur elle, d'autant que son conducteur ne dispose pas des réflexes nécessaires pour la traquer.

Ce qui l'en empêche, c'est le visage de Monsieur.

Elle reconnaît parfaitement le visage halluciné de ce vieillard entrevu à la fenêtre. Cet instant de stupéfac-tion est suffisant et fatal.

L'Ami 6 la percute de face, de plein fouet, à cinquante kilomètres à l'heure.

Le corps de Mathilde, au lieu d'être chassé par le choc, se couche sur le capot avant et la voiture l'emporte jusque sur la terrasse qu'elle percute violemment.

Mathilde est projetée dans la baie vitrée, qui pourtant ne cède pas. Alors qu'elle a déjà les deux jambes brisées, la poitrine largement enfoncée, son crâne heurte la vitre avec une violence inouïe et son corps s'effondre sur le carrelage.

Lorsqu'il voit Monsieur ouvrir sa portière, se déplier lentement et, le visage en sang, remonter l'allée en titubant, le chauffeur de taxi, sidéré, veut dire un mot mais il ne sait plus ce qu'il doit faire, porter secours à sa cliente qui baigne dans son sang au pied de la baie vitrée, tenter d'arrêter ce vieillard d'une incroyable maigreur qui s'éloigne et paraît perdre l'équilibre à chaque pas ou appeler la police. Il ne fait rien de tout ça. Choqué par la violence et la soudaineté de la scène, il s'assied sur le siège de sa voiture et, étrangement, se prenant la tête entre les mains, il se met à pleurer.

Les services sociaux étaient bien allés chercher Monsieur mais ils ne le trouvèrent pas : il était déjà parti, moteur hurlant, en route vers son destin.

Il fut retrouvé en sang, le visage tuméfié, errant dans les rues de Trévières.

L'instruction de son dossier fut un peu longue et il se passa plus de trois mois avant qu'on ne lui trouve une place définitive quelque part.

Il vit aujourd'hui dans une maison de retraite médicalisée près de Chantilly.

Si vous passez devant, quelle que soit l'heure, sauf la nuit, vous apercevrez sa silhouette dans l'encadrement de la fenêtre de sa chambre. Il passe son temps à regarder les arbres du parc.

Un sourire très discret donne à son visage, aujourd'hui reposé, l'aspect doux et tranquille d'un homme qui ne craint pas la mort.

Mes remerciements à François Daoust, dont l'aide m'a été très précieuse.

DU MÊME AUTEUR

Aux Éditions Albin Michel

ALEX, 2011, prix des Lecteurs du Livre de Poche 2012, CWA International Dagger 2013, Le Livre de Poche, 2012.

SACRIFICES, 2012, CWA International Dagger 2015, Le Livre de Poche, 2014.

LES ENFANTS DU DÉSASTRE :

AU REVOIR LÀ-HAUT, 2013, prix Goncourt 2013, CWA International Dagger 2016, Le Livre de Poche, 2015.

COULEURS DE L'INCENDIE, 2018.

MIROIR DE NOS PEINES, 2020.

TROIS JOURS ET UNE VIE, 2016.

DICTIONNAIRE AMOUREUX DU POLAR, Plon, 2020.

Chez d'autres éditeurs

TRAVAIL SOIGNÉ, Le Masque, 2006, prix Cognac 2006, Le Livre de Poche, 2010.

ROBE DE MARIÉ, Calmann-Lévy, 2009, prix du Polar francophone 2009, Le Livre de Poche, 2010.

CADRES NOIRS, Calmann-Lévy, 2010, prix du Polar européen 2010, Le Livre de Poche, 2011.

ROSY & JOHN, Le Livre de Poche, 2014.

Composition : IGS-CP
Impression en avril 2021
Éditions Albin Michel
22, rue Huyghens, 75014 Paris
www.albin-michel.fr
ISBN : 978-2-226-39208-4
N° d'édition : 22390/01
Dépôt légal : mai 2021
Imprimé au Canada chez Friesens